최상위 3%를 위한 책

산부인과
FINAL TEST

병리, 영상, 문제해결

OBSTETRICS AND
GYNECOLOGY

최원규 지음

군자출판사

산부인과 | 병리, 영상, 문제해결
FINAL TEST

첫째판 1쇄 인쇄 | 2022년 5월 9일
첫째판 1쇄 발행 | 2022년 5월 20일
첫째판 2쇄 발행 | 2023년 9월 1일

지 은 이　최원규
발 행 인　장주연
출 판 기 획　최준호
편집디자인　조원배
표지디자인　김재욱
발 행 처　군자출판사(주)
　　　　　등록 제 4-139호(1991. 6. 24)
　　　　　본사 (10881) **파주출판단지** 경기도 파주시 회동길 338(서패동 474-1)
　　　　　전화 (031) 943-1888　팩스 (031) 955-9545
　　　　　홈페이지 | www.koonja.co.kr

ISBN 979-11-5955-880-1
　　　979-11-5955-877-1 (세트)

정가 60,000원

최상위 3%를 위한 책

산부인과
FINAL TEST

병리, 영상, 문제해결

Contents

산부인과
FINAL TEST | 병리, 영상, 문제해결

OBSTETRICS

GYNECOLOGY

산부인과
FINAL TEST

병리, 영상, 문제해결

OBSTETRICS

CHAPTER 01

산과 병리 문제

01 다음은 태반(placenta)의 병리 조직이다. 각각에 알맞은 구조물의 이름을 쓰시오.

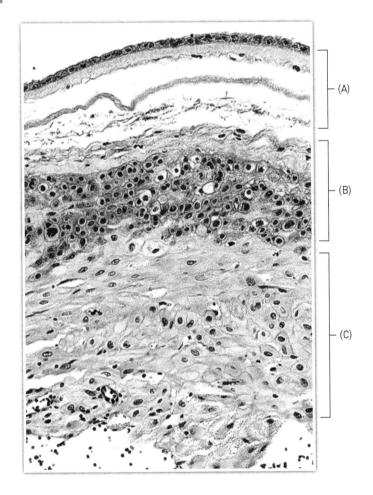

01

정답 (A) Amnion / (B) Chorion / (C) Maternal decidua

해설

참고 *Final Check 병리 121 page*

02 분만 후 출혈이 조절되지 않아 자궁절제술(hysterectomy)을 시행한 산모의 병리조직 사진이다. 이 환자의 진단명을 쓰시오.

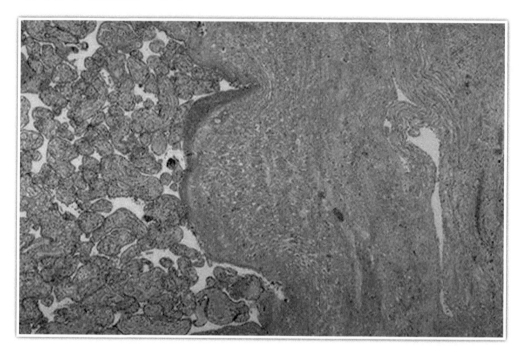

02

정답 Placenta accreta

해설 **Placenta accreta**

1. Placental villous tissue adheres directly to the myometrium without intervening decidual plate
2. Invasion of chorionic villi has occurred superficially into myometrium

참고 *Final Check 병리 123 page*

03 다음은 태반의 조직학 사진이다. 가장 가능성이 높은 진단명을 쓰시오.

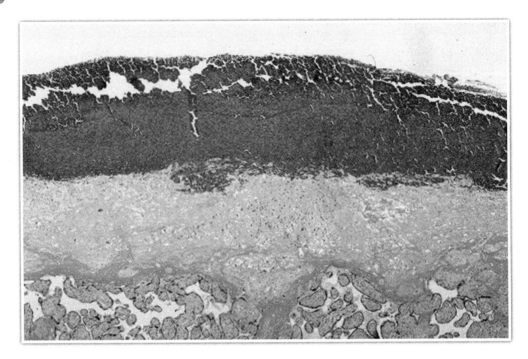

03

정답] Placental abruption

해설] Placental abruption

1. Retroplacental hemorrhage or hematomas associated with diffuse intradecidual hemorrhage, villous stromal hemorrhage / edema, intervillous thrombi or infarction
2. Chronic hemorrhage may also show hemosiderin staining

참고] *Final Check* 병리 *124 page*

04 임신 30 주인 산모가 황달을 주소로 내원하였다. 시행한 혈액 검사상 AST/ALT 400/450 mIU/mL, bilirubin 9 mg/dL, platelet 100,000/mm³으로 확인되었다. 간에서 실시한 조직검사상 아래와 같은 소견을 보였을 때 의심할 수 있는 진단명을 쓰시오.

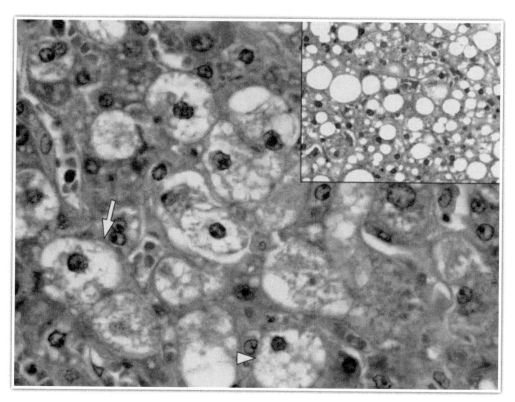

04

정답 Acute fatty liver of pregnancy

해설 **Acute fatty liver of pregnancy**

1. Hepatocyte swelling
2. Cytoplasm의 microvesicular fat deposition
3. Minimal hepatocellular necrosis
4. 간에만 국한되지 않고 renal tubular cell에도 lipid가 축적될 수 있음

참고 *Final Check 병리 128 page*

CHAPTER 02

산과 영상 문제

01 다음은 태아의 머리 초음파 영상이다. 이러한 초음파 view를 무엇이라고 하는가?

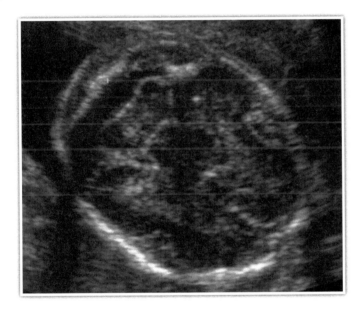

01

정답 경소뇌 단면도(transcerebellar view)

해설

참고 *Final Check 산과 165 page*

02 다음은 태아 머리의 midsagittal plane 초음파 영상이다. (A) 구조물의 이름을 쓰시오.

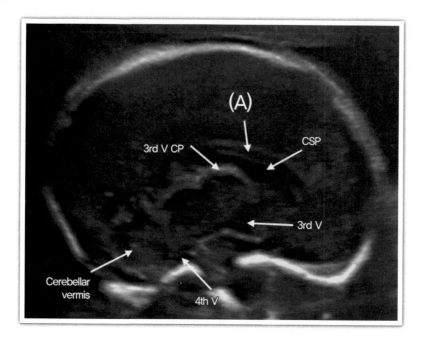

02

정답 Corpus callosum

해설

참고 *Final Check 산과 166 page*

03 다음 동그라미 안 화살표가 나타내는 구조물의 이름을 쓰시오

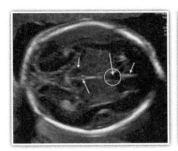 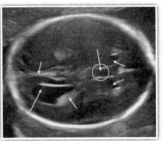 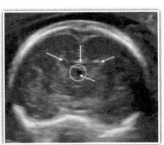

03

[정답] Cavum septi pellucid

[해설] **Cavum septi pellucidi의 초음파 소견**

1. Normal variant CSF space between the leaflets of the septum pellucidum
2. Boundaries
   a. Anterior : genu of the corpus callosum
   b. Superior : body of the corpus callosum
   c. Posterior : anterior limb and pillars of the fornix
   d. Inferior : anterior commissure and the rostrum of the corpus callosum
   e. Lateral : leaflets of the septum pellucidum

[참고] Final Check 산과 166 page

04 다음 초음파를 보고 진단명을 쓰시오.

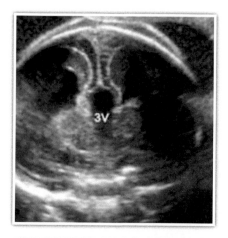
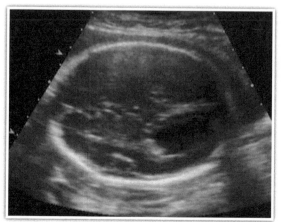
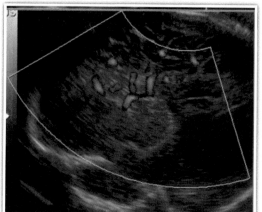
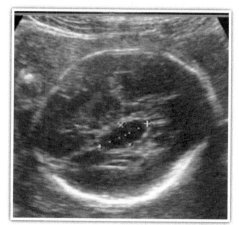

04

정답 뇌량 무발생증(Agenesis of corpus callosum)

해설 뇌량 무발생증(agenesis of corpus callosum)의 초음파 소견

1. 간접 징후
   a. 눈물방울 징후(Tear drop sign)
   b. 황소뿔 징후(Bull's horn sign) 또는 바이킹 모자 징후(Viking helmet sign)
   c. 제3뇌실의 위쪽 전위(elevation of 3rd ventricle)
   d. 대뇌반구간 낭종(interhemispheric cyst)
2. 직접 징후
   a. 중앙 시상면(midsagittal plane)상 뇌량(corpus callosum)이 보이지 않음
   b. 전대뇌동맥(anterior cerebral artery)에서 나오는 뇌량주위 동맥(pericallosal artery)이 보이지 않음

참고 Final Check 산과 173 page

05 다음 태아 머리의 초음파 영상을 보고 진단명을 쓰시오.

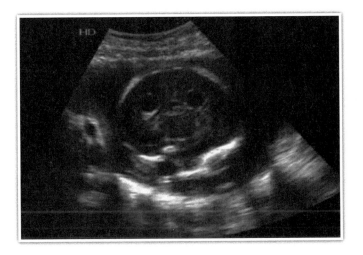

05

정답 맥락막총 낭종(choroid plexus cysts)

해설 **맥락막총 낭종(Choroid plexus cysts, CPC)의 초음파 소견**

1. 측내실 내에서 고음영으로 보이는 맥락얼기로 둘러싸인 낭종 모양
2. 크기 : 2∼20 mm (다양함)
3. 일측성(unilateral) or 양측성(bilateral)
4. 한 개(single) or 여러 개(multiple)

참고 *Final Check 산과 172 page*

06 다음 사진을 보고 진단명을 쓰시오.

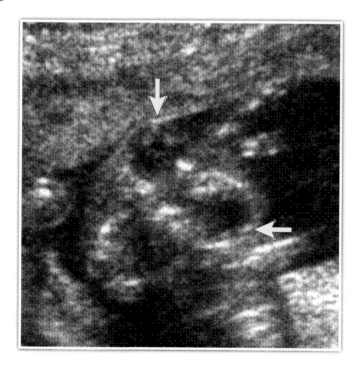

06

[정답] 무뇌증(anencephaly)

[해설] **무뇌증(anencephaly)의 초음파 소견**

1. 안구가 돌출되어 보이는 개구리 눈 모양(frog eye appearance)
2. CRL이 임신 주수보다 작음(62%의 무뇌증이 5th percentile 미만)
3. 임신 제2삼분기에 BPD를 잘 측정할 수 없으면 무뇌증을 의심
4. 양수과다증(hydramnios)을 잘 동반
5. 경추 결손(cervical spine defect)이 자주 동반

[참고] *Final Check 산과 168 page*

07 다음 초음파를 보고 진단명을 쓰시오.

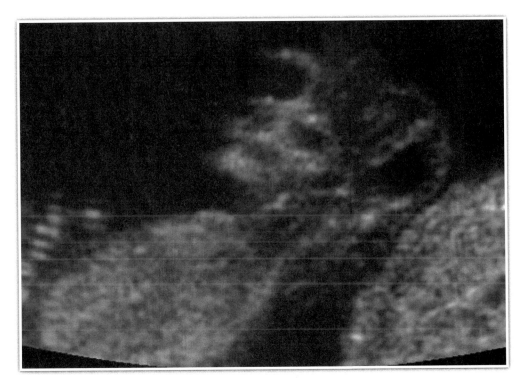

07

정답 무뇌증(anencephaly)

해설 무뇌증(anencephaly)의 초음파 소견

1. 안구가 돌출되어 보이는 개구리 눈 모양(frog eye appearance)
2. CRL이 임신 주수보다 작음(62%의 무뇌증이 5th percentile 미만)
3. 임신 제2삼분기에 BPD를 잘 측정할 수 없으면 무뇌증을 의심
4. 양수과다증(hydramnios)을 잘 동반
5. 경추 결손(cervical spine defect)이 자주 동반

참고 *Final Check 산과 168 page*

08 다음 두개의 화살표가 표시하는 부위의 소견은 무엇인가?

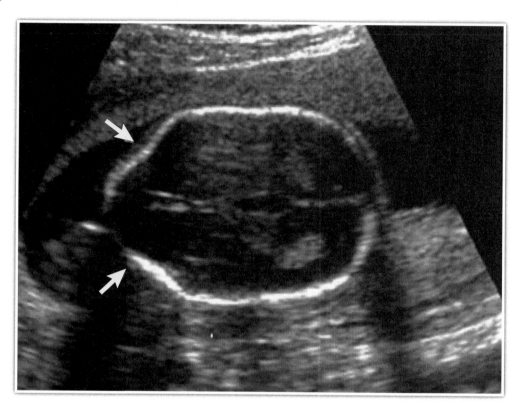

08

정답 Frontal bone scalloping

해설 척추이분증(spina bifida)의 두개 내 징후(cranial signs)

1. 양쪽마루뼈지름 감소(small BPD)
2. 뇌실확장증(ventriculomegaly)
3. 레몬 징후(lemon sign) : 이마뼈가 뾰족 해지는 모양(frontal bone scalloping)
4. 바나나 징후(banana sign) : 소뇌(cerebellum)가 큰구멍(foramen magnum)쪽으로 빠지면서 정상적인 아령 모양을 잃고 바나나 모양으로 변형

참고 Final Check 산과 169 page

09 다음 초음파 영상을 보고 진단명을 쓰시오.

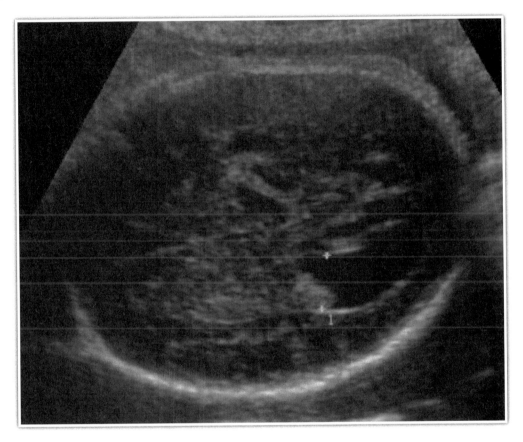

09

[정답] 뇌실확장증(ventriculomegaly)

[해설] 뇌실확장증(ventriculomegaly)의 진단 기준

1. Ventricular atrial diameter 〉10 mm
2. Choroid plexus separation from ventricular wall ≥3~4 mm
3. Dangling choroid plexus (Dangling sign)

[참고] *Final Check 산과 171 page*

10 다음 초음파 소견이 보일 때 추가적으로 시행해야 할 검사를 쓰시오.

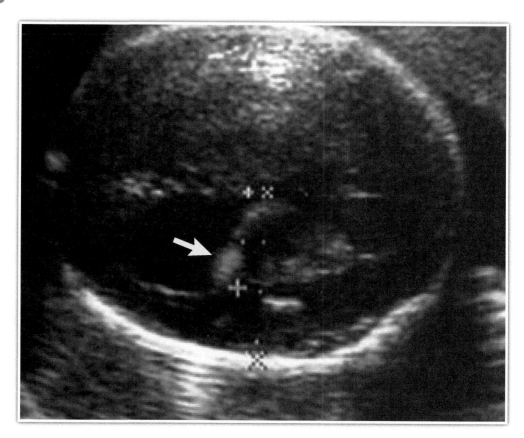

10

정답 1. 염색체 검사(karyotyping)
　　　2. 감염 확인(infection study)
해설 뇌실확장증(ventriculomegaly) 확인 후 필요한 검사
1. 염색체 검사(karyotyping)
2. 감염 확인(infection study)
참고 Final Check 산과 172 page

11 다음 영상을 보고 진단명을 쓰시오.

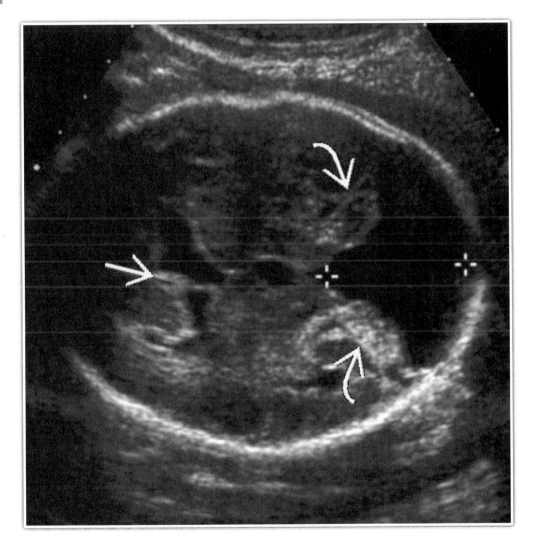

11

[정답] 댄디-워커 기형(Dandy-Walker malformation)
[해설] 댄디-워커 기형(Dandy-Walker malformation)의 초음파 소견
1. 소뇌충부의 완전 혹은 부분적 무형성(complete or partial agenesis of cerebellar vermis)
2. 제4뇌실의 낭성 확장(cystic dilatation of 4th ventricle)
3. 소뇌천막과 정맥동후두골연합의 위쪽 전위가 동반된 큰수조의 확장(enlarged posterior fossa with tentorial elevation)
[참고] Final Check 산과 176 page

12 아래와 같은 초음파를 보이는 진단명의 특징적인 초음파 소견을 쓰시오

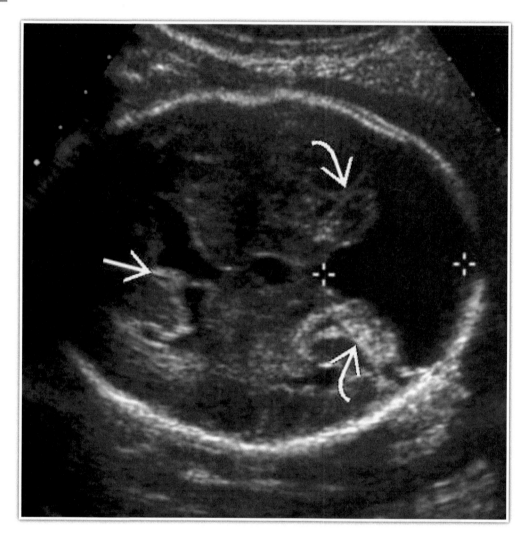

12

[정답] 1. 소뇌충부의 완전 혹은 부분적 무형성(complete or partial agenesis of cerebellar vermis)
2. 제4뇌실의 낭성 확장(cystic dilatation of 4th ventricle)
3. 소뇌천막과 정맥동후두골연합의 위쪽 전위가 동반된 큰수조의 확장(enlarged posterior fossa with tentorial elevation)

[해설]

[참고] Final Check 산과 176 page

13 다음 초음파를 보고 진단명을 쓰시오.

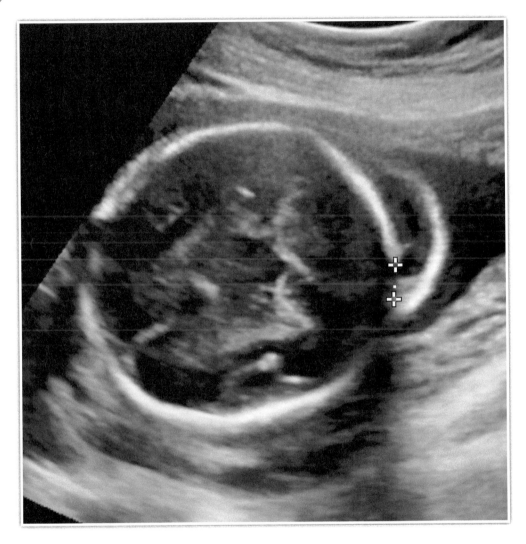

13

정답 Encephalocele

해설 **Encephalocele의 초음파 소견**

1. 머리뼈 결손을 통하여 머리뼈 바깥쪽으로 탈출된 덩어리가 특징적
2. 수두증과 소두증이 흔하게 동반

참고 *Final Check 산과 168 page*

14 다음 초음파를 보고 진단명을 쓰시오.

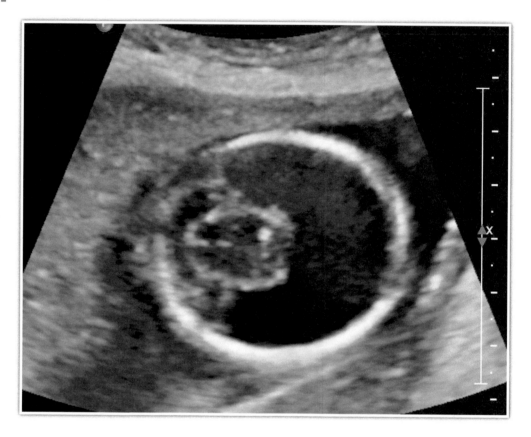

14

정답 Alobar holoprosencephaly

해설 **Alobar holoprosencephaly의 초음파 소견**

1. 1st trimester : Absent butterfly sign
2. 2nd, 3rd trimester : Monoventricle, absent midline structures, fused thalami, facial anomalies

참고 *Final Check 산과 175 page*

15 다음은 임신 30주 태아의 초음파 소견이다. 이 환자에게 의심할 수 있는 감염균을 쓰시오.

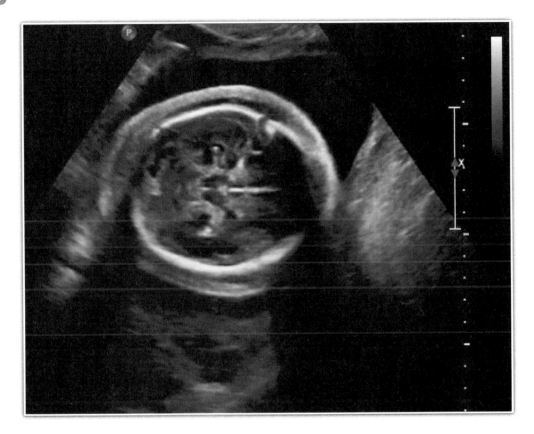

15

정답 거대세포바이러스(cytomegalovirus, CMV)

해설 거대세포바이러스 감염(CMV infection)의 초음파 소견
1. Brain : ventriculomegaly, cerebral calcification, intraparenchymal cysts, intraventricular adhesions, microcephaly, cortical dysplasia, signs of lenticulostriate vasculopathy
2. Others : intrauterine growth restriction (IUGR), oligohydramnios, ventriculomegaly, hydrocephalus, non–immune hydrops fetalis

참고 *Final Check 산과 176 page*

16 다음 사진을 보고 진단명을 쓰시오.

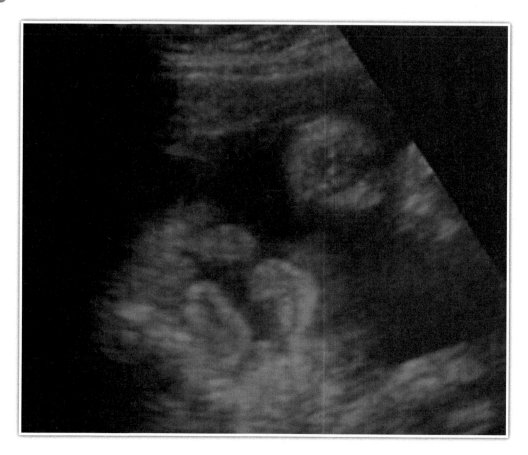

16

[정답] 입술갈림증(Cleft lip)

[해설] 입술갈림증(Cleft lip)의 초음파 소견

1. Complete cleft lip : Cleft extends to naris
2. Incomplete cleft lip : Cleft does not extend to naris
3. Cleft palate seen with both complete and incomplete cleft lip

[참고] *Final Check 산과 179 page*

17 다음 영상을 보고 진단명을 쓰시오.

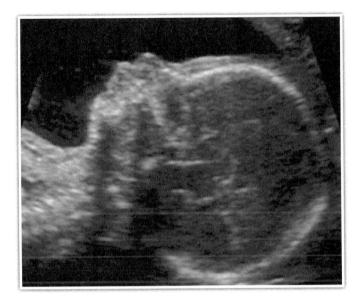

17

정답 소하학증(micrognathia)

해설 소하학증(micrognathia)의 초음파 소견

1. Jaw index <21
2. Polyhydramnios

참고 *Final Check 산과 180 page*

18 다음은 임신 14주에 시행한 midsagittal planes 초음파 영상이다. 무엇을 측정(A)하고, 비정상의 기준값(B)을 쓰시오.

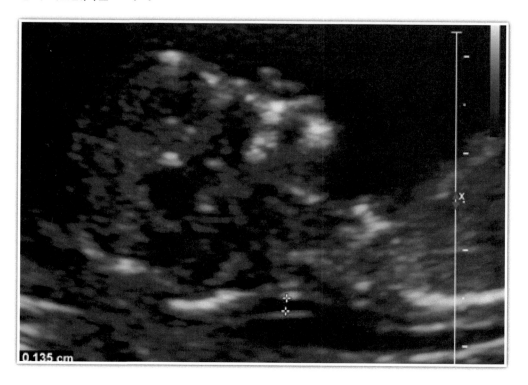

18

정답 (A) 목덜미 투명대(nuchal translucency, NT)

　　 (B) ≥99 percentile of gestational age (CRL) or ≥3 mm

해설 목덜미 투명대(NT)의 증가 기준값

1. ≥99 percentile of gestational age (CRL)

2. ≥3 mm

참고 Final Check 산과 159 page

19 다음 초음파 영상을 보고 진단명을 쓰시오.

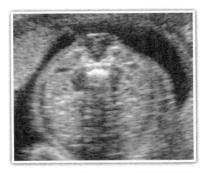

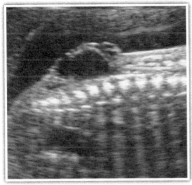

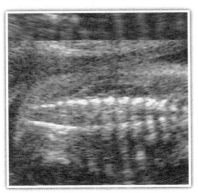

19

[정답] 수막척수탈출증(myelomeningocele)

[해설] 수막척수탈출증(myelomeningocele)의 초음파 소견

1. Protrusion of neural elements & meninges through the dysraphic spinal defect
2. Myelomeningocele sac and/or disruption of the overlying integument
3. Hydrocephalus with the Arnold—Chiari II malformation

[참고] *Final Check 산과 170 page*

20 다음 임신 12주 태아의 초음파를 보고 진단명을 쓰시오.

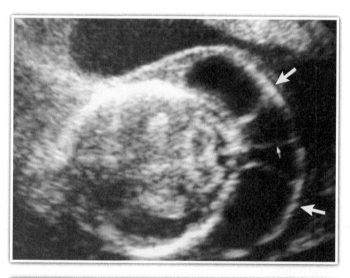

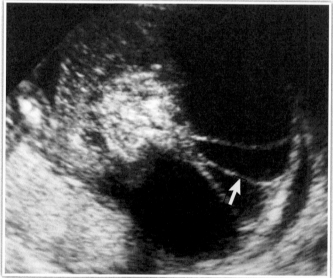

20

[정답] 림프물주머니(cystic hygroma)

[해설] 림프물주머니(cystic hygroma)의 초음파 소견

1. Large nuchal multiseptated fluid—filled mass
2. Cystic hygroma ± hydrops
3. Aneuploidy in 2/3 fetuses with 2nd—trimester cystic hygroma
4. 1st—trimester cystic hygroma : Nuchal translucency↑ + septations

[참고] *Final Check 산과 180 page*

21 다음 초음파와 X-ray 영상을 보고 진단명을 쓰시오.

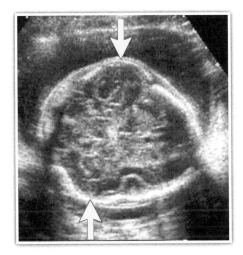

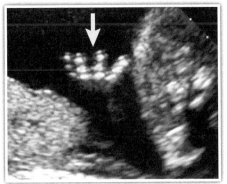

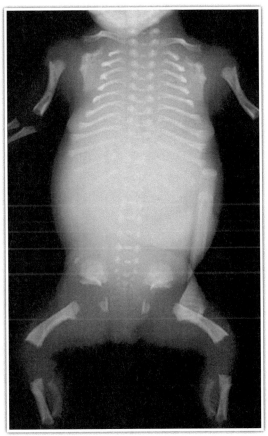

21

[정답] 치사성 이형성증(thanatophoric dysplasia)

[해설]

치사성 이형성증(thanatophoric dysplasia)의 초음파 소견

Thanatophoric dysplasia type I	Thanatophoric dysplasia type II
– Long bones severely affected – Micromelia – Prominent bowing – Telephone receiver femur – Normal ossification – No evidence of fractures – Macrocephalic, relatively normal-shaped skull	– Kleeblattschädel (cloverleaf) skull – Femurs longer, less curved – Platyspondyly less marked – Other findings similar to TD type I

[참고] *Final Check 산과 227 page*

22 다음 영상을 보고 진단명을 쓰시오.

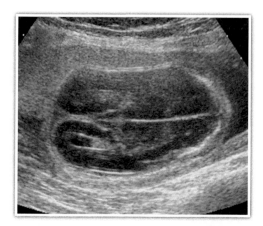
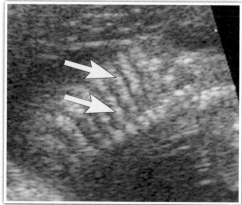
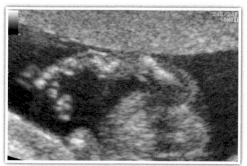
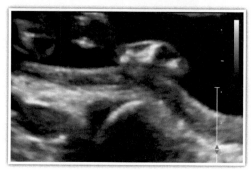

22

[정답] 불완전 골형성증(osteogenesis imperfecta)

[해설] 불완전 골형성증(osteogenesis imperfecta)의 초음파 소견

1. Micromelia
2. Generalized decrease in ossification
3. Multiple fractures in utero
4. Ribs with "beaded" appearance due to fractures
5. Bones with irregular angulation due to fractures
6. Visualization of brain by ultrasound due to under ossified calvarium

[참고] Final Check 산과 228 page

23 임신 30주 초산모가 양수과소증을 주소로 내원하였다. 산모는 22주 경부터 양수가 적었다는 이야기를 들었다고 한다. 초음파상 아래와 같은 소견이 보였다면 진단명을 쓰시오.

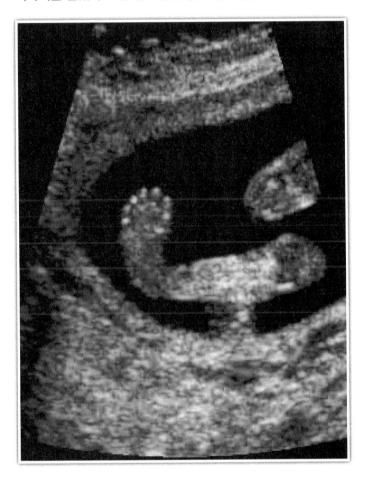

23

정답 곤봉발(club foot)

해설 곤봉발(club foot)의 초음파 소견

1. Long bones of foot lie in same plane as tibia and fibula
2. Foot turned inward
3. Foot plantar flexed and short

참고 Final Check 산과 229 page

24 다음은 임신 14주 여성의 초음파이다. 진단명을 쓰시오.

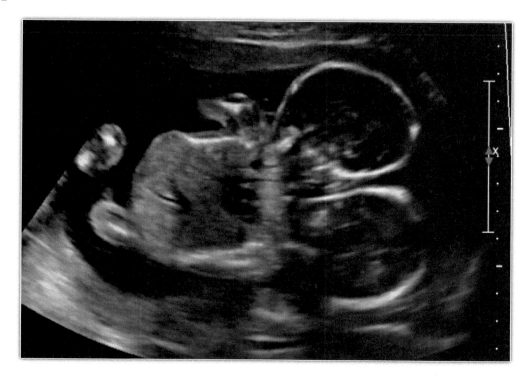

24

정답 결합 쌍태아(conjoined twins)

해설 결합 쌍태아(conjoined twins)의 초음파 소견

1. Fetuses inseparable
2. Look for different heart rates

참고 *Final Check 산과 764 page*

25 다음 초음파를 보고 진단명을 쓰시오.

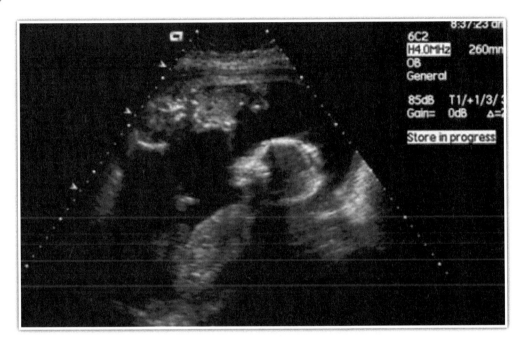

25

[정답] 쌍태아 수혈증후군(twin-twin transfusion syndrome)

[해설] Twin-to-Twin transfusion syndrome의 초음파
1. 단일 융모막성(monochorion) 쌍태아
2. 공여자의 양수과소증(largest vertical pocket <2 cm)
3. 수혈자의 양수과다증(largest vertical pocket >8 cm)

[참고] *Final Check 산과 767 page*

26 다음 초음파를 보고 진단명을 쓰시오.

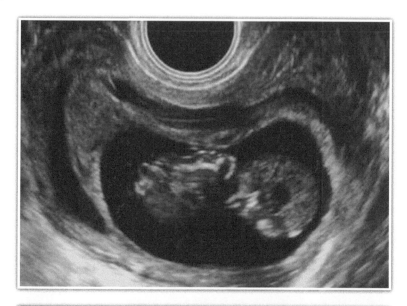

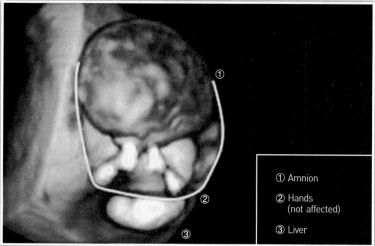

① Amnion

② Hands
(not affected)

③ Liver

26

[정답] 몸줄기 기형(body stalk anomaly)

[해설] **몸줄기 기형(body stalk anomaly)의 초음파 소견**

1. 복벽 결손(large thoracoabdominal wall defect)
2. 척추의 심한 측만곡(scoliosis prominent feature)이 동반
3. 탯줄이 없거나 매우 짧음(absent or very short umbilical cord)
4. 하지 기형(limb defects)이 흔함
5. 임신 제2, 3삼분기의 양수과소증(oligohydramnios)

[참고] *Final Check 산과 218 page*

27 다음 화살표가 나타내는 구조물의 이름을 쓰시오.

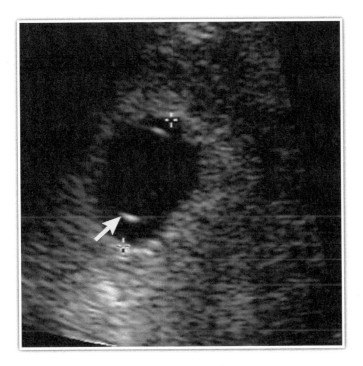

27

정답 양막(amnion)

해설

참고 *Final Check 산과 74 page*

28 전자간증(preeclampsia)으로 입원 치료 중이던 34주 산모가 복통과 지속적인 자궁 수축을 호소하였다. 시행한 초음파와 NST 소견이 아래와 같다면 이 산모의 진단으로 가장 가능성이 높은 것을 쓰시오.

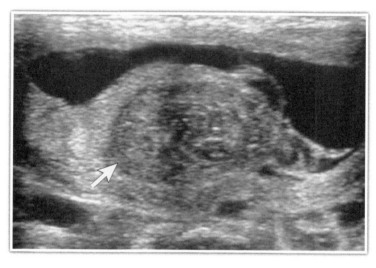

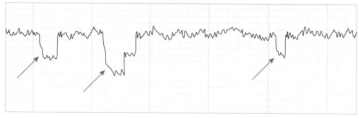

28

정답 태반조기박리(placental abruption)

해설 태반조기박리(placental abruption)의 초음파 소견
1. Acute hematoma : isoechoic to placenta
2. Subacute hematoma : heterogeneous or hypoechoic to placenta
3. Resolving/chronic hematoma : sonolucent

참고 *Final Check 산과 683 page*

29 다음은 임신 29주 산모의 초음파 소견이다. 이 환자의 진단명을 쓰시오.

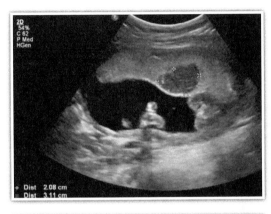 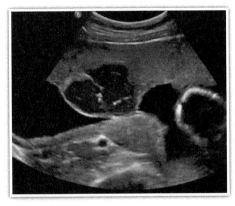
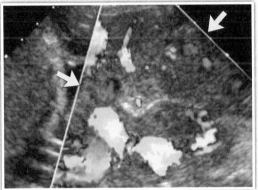 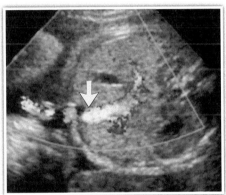

29

[정답] 태반 융모막혈관종(placental chorioangioma)
[해설] **태반 융모막혈관종(placental chorioangioma)의 초음파 소견**
1. 태아측에 보이는 경계가 명확한 태반 내 종괴(well-defined mass)
2. 대개 저음영(hypoechoic)이고, 혈류 분포가 증가
3. Heterogeneous if hemorrhage, infarction or degenerating
[참고] *Final Check 산과 230 page*

30 다음 사진을 보고 진단명을 쓰시오.

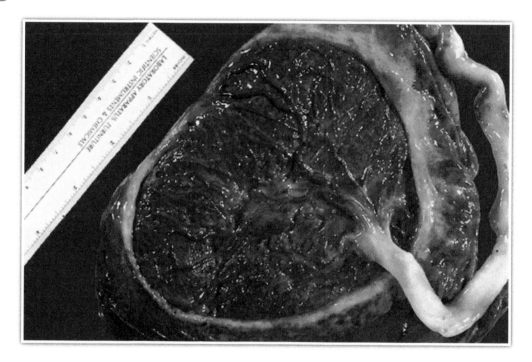

30

정답 주획태반(circumvallate placenta)

해설 **주획태반(circumvallate placenta)**

1. 변연부의 융모막과 양막이 중첩되어 회백색 모양의 고리가 융기되어 있는 것
2. 융모막 주변부(chorion periphery)
   a. 두 번 접힌 양막(amnion)과 융모막(chorion)
   b. 탈락막 섬유소 축적(fibrin deposition)이 있음

참고 *Final Check 산과 88 page*

31 다음 사진을 보고 진단명을 쓰시오.

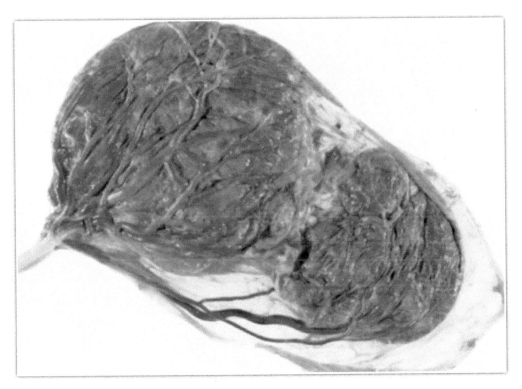

31

[정답] 부태반(succenturiate lobes)

[해설] **부태반(Succenturiate lobes)**

1. 주태반(main placenta)과 떨어져 있는 하나 이상의 다른 엽
2. 태반 혈관이 탯줄의 혈관이 아닌 주태반의 막에서 생성되어 각각의 부태반으로 연결

[참고] *Final Check 산과 86 page*

32 다음 사진을 보고 진단명을 쓰시오.

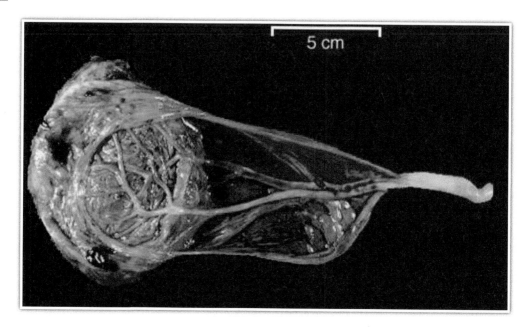

32

정답 양막 부착(velamentous insertion)

해설 **양막 부착(Velamentous insertion)**

1. 탯줄이 태반의 가장자리에 있는 양막 부위에 부착된 경우
2. 가장자리의 혈관은 Warton 젤리가 없이 양막에 둘러싸여 있어 압박되기 쉬움

참고 *Final Check 산과 94 page*

33 임신 36주인 경산모의 초음파 상 아래와 같은 소견이 관찰되었다. 진단명을 쓰시오.

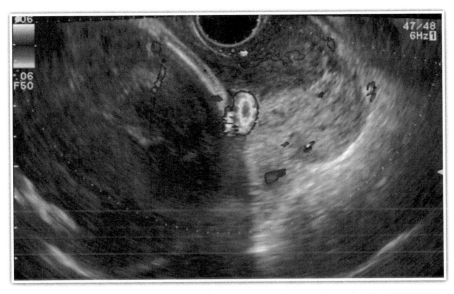

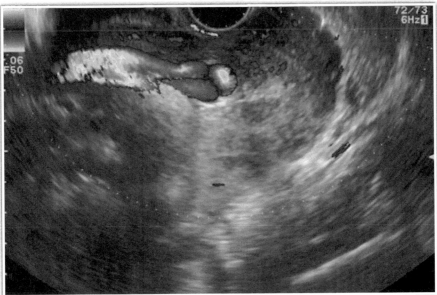

33

정답 양막 부착(velamentous insertion)

해설 **양막 부착(Velamentous insertion)**

1. 탯줄이 태반의 가장자리에 있는 양막 부위에 부착된 경우
2. 가장자리의 혈관은 Warton 젤리가 없이 양막에 둘러싸여 있어 압박되기 쉬움

참고 *Final Check 산과 94 page*

34 임신 42주 경산모가 분만 중 deceleration이 관찰되어 초음파를 시행하였고 아래와 같은 소견을 확인하였다. 이 산모의 진단명을 쓰시오.

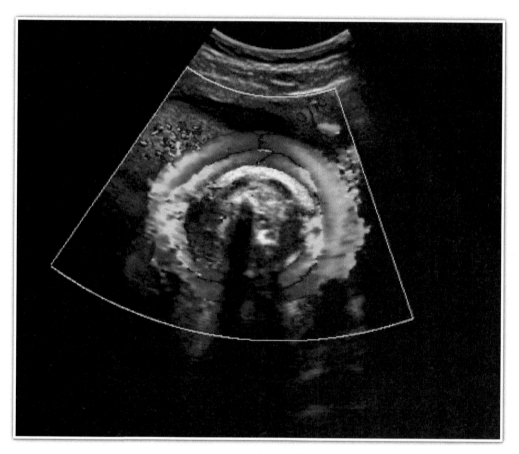

34

정답 목덜미 탯줄(nuchal cord)

해설 목덜미 탯줄(nuchal cord)의 초음파 소견

1. Persisting structure wrapped around the fetal neck with color flow present on Doppler interrogation
2. Appearance of a small dent or impression due to compression of the fetal neck may also be present

참고 Final Check 산과 231 page

35 다음 초음파를 보고 진단명을 쓰시오.

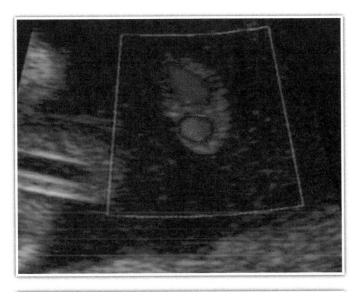

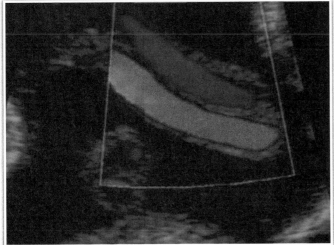

35

[정답] 단일탯줄동맥(single umbilical artery)

[해설] 단일탯줄동맥(single umbilical artery)의 초음파 소견

1. Free loop of cord with 2 vessels
2. Within fetal pelvis
a. SUA travels around bladder
b. Inserts into right or left iliac artery
3. SUA is larger than normal UA
4. Seen best on cross section

[참고] *Final Check 산과 232 page*

36 다음 사진을 보고 진단명을 쓰시오.

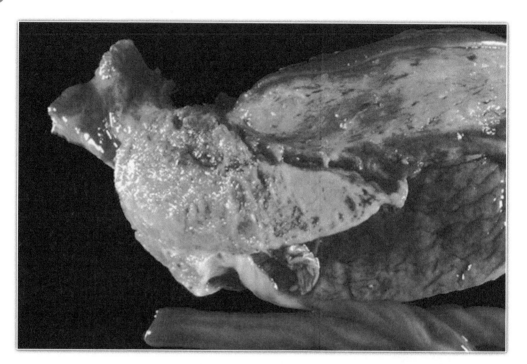

36

정답 감입태반(placenta increta)

해설 **태반유착증후군(Placenta accrete syndrome)**

1. 유착태반(placenta accreta) : 태반 융모가 자궁근층에 붙어있는 경우
2. 감입태반(placenta increta) : 태반 융모가 자궁근층을 침입한 경우
3. 천공태반(placenta percreta) : 태반 융모가 자궁근층을 천공한 경우

참고 *Final Check 산과 702 page*

37 임신 12주 쌍둥이를 임신한 산모의 초음파이다. 이 산모의 융모막성(chorionicity)을 쓰시오.

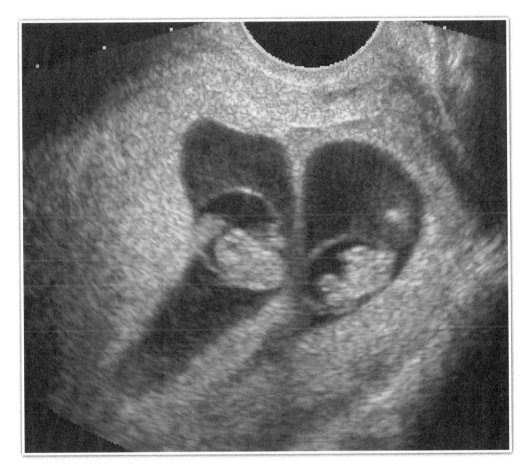

37

[정답] 이융모막성 이양막성 쌍태아 임신(Dichorionic Diamniotic twins, DCDA)

[해설] Dichorionic Diamniotic twins의 초음파 소견

1. 두 개의 임신낭을 분리하는 두꺼운 융모막 밴드(thick band of chorion)
2. Twin peak sign (lamda or delta sign)
3. 임신 제2삼분기의 분리막 두께 ≥2 mm

[참고] *Final Check 산과 758 page*

38 다음 시술의 이름을 쓰시오.

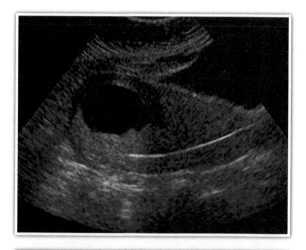

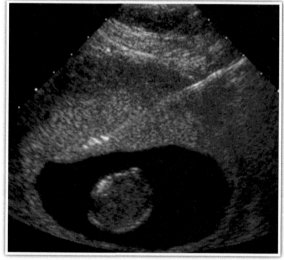

38

정답 융모막융모생검(chorionic villus sampling)

해설 융모막융모생검(Chorionic villus sampling, CVS)

1. 자궁경부 또는 복부를 경유하여 융모(chorionic frondosum)를 채취

2. 초음파를 이용하여 카테터 혹은 바늘이 초기 태반 안으로 잘 접근하는지 확인하고 융모를 흡인하여 채취

참고 *Final Check 산과 311 page*

39 다음 시술의 이름을 쓰시오.

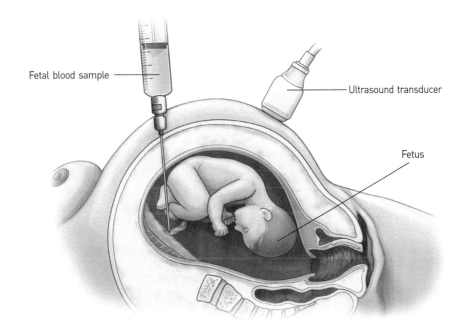

Fetal blood sample

Ultrasound transducer

Fetus

39

정답 **탯줄천자(cordocentesis)**

해설 **탯줄천자(cordocentesis)**

1. 초음파를 보며 탯줄정맥의 태반 삽입부위에서 22~23 gauge 바늘로 혈액을 채취
2. 탯줄동맥천자는 혈관수축과 태아 서맥이 발생할 수 있으므로 피해야 함

참고 *Final Check 산과 312 page*

40 다음과 같은 유전 형식 중 (A)에 해당하는 것을 쓰시오.

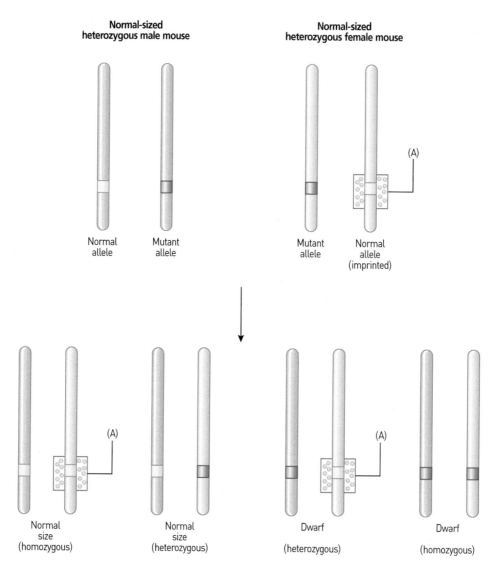

40

정답 각인(imprinting)

해설 **각인(Imprinting)**

1. 부모로부터 유래된 두 염색체의 유전자들 중 한쪽 염색체의 유전자들만 발현되는 것
2. 유전자의 불활성을 통한 표현형은 유전되는 부모의 성에 의해 결정
3. 후생유전학적 조절(epigenetic control)을 통해 유전자의 발현에 영향을 미침

참고 *Final Check 산과 312 page*

41 초음파상 다음과 같은 소견들이 보일 때 가장 가능성이 높은 진단명을 쓰시오.

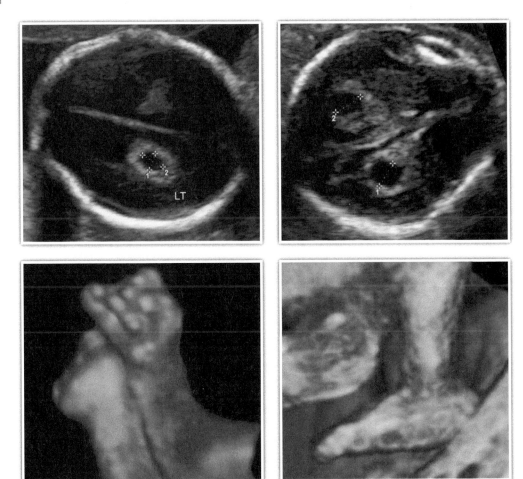

41

정답 **Trisomy 18(Edward syndrome)**

해설 에드워드증후군(Edwards syndrome, trisomy 18)의 초음파 소견

1. Nuchal translucency↑, absent nasal bone + other anomalies
2. Cardiac defects, omphalocele, diaphragmatic hernia, spina bifida, brain anomalies, musculoskeletal anomalies
3. Clenched hands and overlapping index finger
4. Choroid plexus cysts (CPCs), single umbilical artery (SUA), strawberry—shaped calvarium
5. Fetal growth restriction (FGR)

참고 *Final Check 산과 182 page*

42 다음은 염색체 이상으로 진단된 태아의 초음파 소견이다. 이 환자의 진단명으로 가장 가능성이 높은 것을 쓰시오.

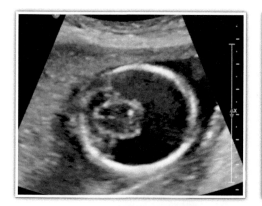
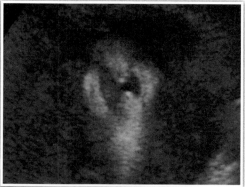
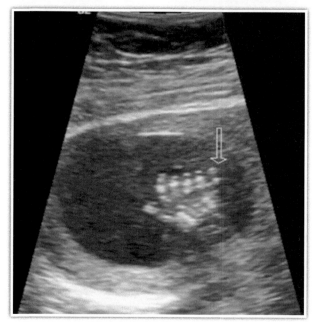

42

정답 Trisomy 13 (Patau syndrome)

해설 파타우증후군(Patau syndrome, trisomy 13)의 초음파 소견

1. Holoprosencephaly
2. Cardiac defects : Hypoplastic left heart + intracardiac echogenic focus
3. Enlarged echogenic kidneys
4. Postaxial polydactyly
5. Fetal growth restriction (FGR)

참고 Final Check 산과 183 page

43

다음은 태아의 정상 초음파 소견이다. 이러한 view를 무엇이라고 하는가?

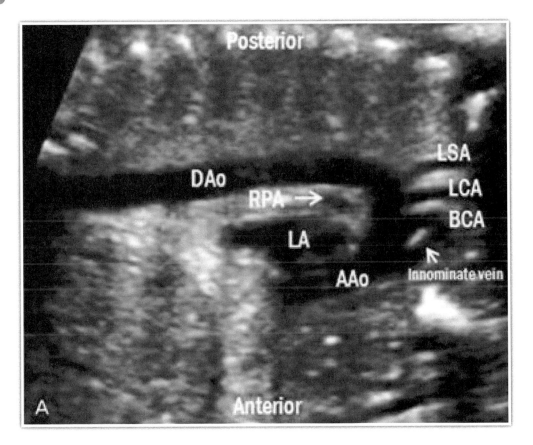

43

정답 Aortic arch view

해설

참고 *Final Check 산과 193 page*

44 다음 초음파에서 Rt. ventricle을 고르시오.

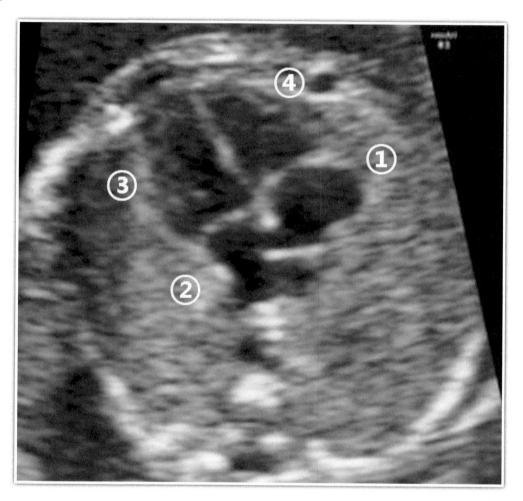

44

정답 ④

해설

1. Rt. atrium
2. Lt. atrium
3. Lt. ventricle
4. Rt. ventricle

참고 *Final Check 산과 193 page*

45

다음 초음파에서 빈칸에 각각 알맞은 이름을 쓰시오.

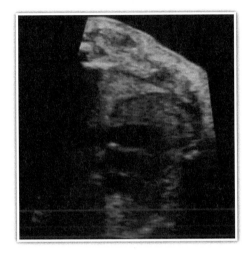
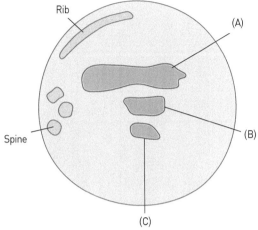

45

정답 (A) Pulmonary artery
(B) Aorta
(C) Superior vena cava

해설

참고 *Final Check 산과 186 page*

46 다음 초음파의 화살표가 가리키는 구조물의 이름을 쓰시오.

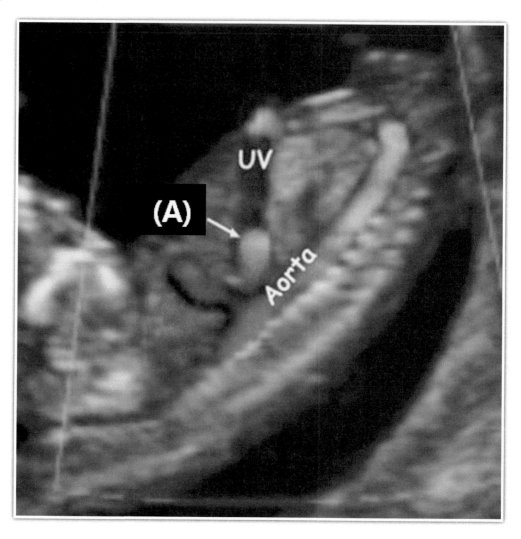

46

[정답] 정맥관(ductus venosus)

[해설] **Ductus venosus의 초음파 소견**

1. Trumpet 모양으로 생긴 작은 정맥
2. Narrow entrance를 통해 umbilical sinus로부터 hepatic vein과 IVC로 연결

[참고] *Final Check 산과* 185 page

47 다음 초음파를 보고 (A) 구조물의 이름을 쓰시오.

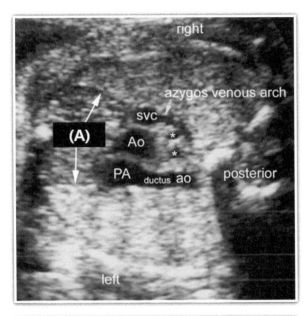

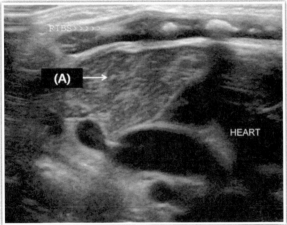

47

정답 가슴샘(thymus)

해설 **가슴샘(thymus)의 초음파 소견**

1. 종격동이나, 삼혈관 단면도(3 vessel view)에서 이 혈관들과 흉골(sternum) 사이에 관찰
2. 약간 둥글고 균일하게 보이는, 상대적으로 저음영의 구조물(homogeneous structure)
3. 임신 주수에 따른 음영의 차이
   a. 임신 27주 이전 : 고음영(hyperechoic)
   b. 임신 27주 이후 : 저음영(hypoechoic)

참고 *Final Check 산과 184 page*

48 다음 초음파 영상을 보고 진단명을 쓰시오.

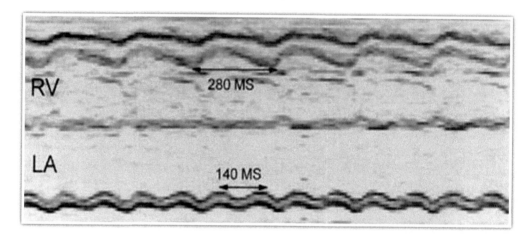

48

정답 Atrial flutter

해설

참고 *Final Check 산과 192 page*

49 다음 초음파를 보고 진단명을 쓰시오.

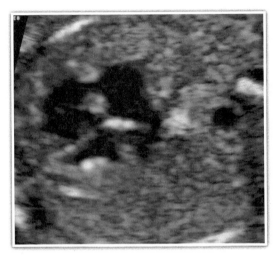

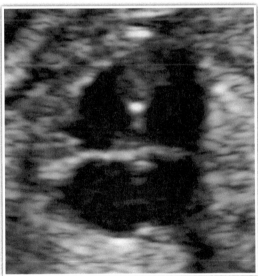

49

[정답] 방실중격결손(atrioventricular septal defect, AVSD)

[해설] 방실중격결손(atrioventricular septal defect, AVSD)의 초음파 소견

완전 방실중격결손(Complete AVSD)	부분 방실중격결손(Incomplete AVSD)
– 삼첨판과 승모판이 분리되어 있지 않고 공통 판막의 형태 – 방실판막륜 : 1개 – VSD (+) – Primum ASD (+)	– 삼첨판과 승모판이 분리되어 있는 형태 – 방실판막륜 : 2개 – VSD (−) – Primum ASD (+)

[참고] *Final Check 산과 194 page*

50 다음 초음파를 보고 진단명을 쓰시오.

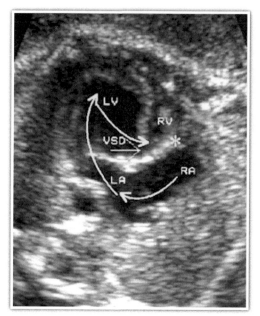 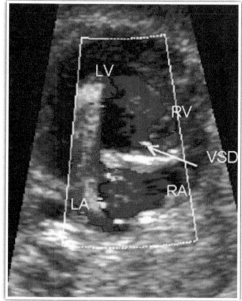

50

[정답] 삼첨판폐쇄(tricuspid atresia)

[해설] **삼첨판폐쇄(tricuspid atresia)의 초음파 소견**

1. 4 chamber view에서 보이는 작은 우심실(small right ventricle)과 판 형태의 삼첨판(plate-like tricuspid valve)
2. 심방(atrium)의 우좌단락(right to left shunt)
3. 심실중격결손(VSD)이 대개 나타남

[참고] *Final Check 산과 195 page*

51 다음 태아의 심초음파를 보고 진단명을 쓰시오.

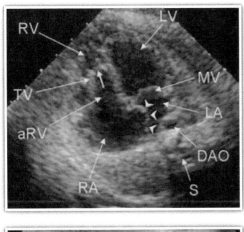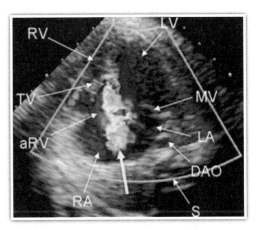

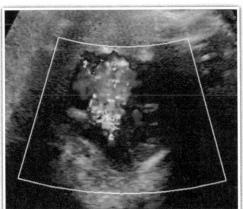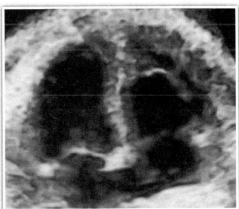

51

정답 Ebstein anomaly

해설 Ebstein anomaly의 초음파 소견
1. 우심방의 확대에 의한 심장비대(cardiomegaly)
2. 중격엽(septal leaflet)과 후엽(posterior leaflet)이 우심실 첨부 쪽으로 내려가 위치함
3. 돛모양의 전엽(sail—like anterior leaflet)
4. 삼첨판 역류(tricuspid regurgitation)
5. 우심실의 기능적 크기 감소(small functional RV)
6. 작은 폐동맥(small pulmonary artery)

참고 Final Check 산과 197 page

52 다음 초음파를 보고 진단명을 쓰시오.

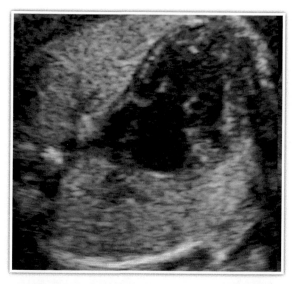

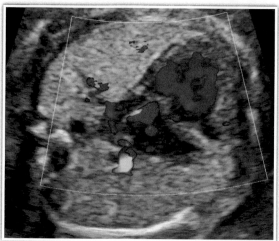

52

정답 좌심형성부전증후군(Hypoplastic left heart syndrome, HLHS)

해설 좌심형성부전증후군(Hypoplastic left heart syndrome)의 초음파 소견

1. 4 chamber view에서 아주 작고 수축이 거의 없는 좌심실
2. 심첨부(apex)를 거의 우심실(right ventricle)이 차지
3. 대동맥 유출로를 관찰하기 어렵고, 상대적으로 확장된 폐동맥
4. 난원공을 통한 혈류의 흐름이 좌심방에서 우심방으로 역전
5. 대동맥궁에서의 특징적인 혈류의 역위(retrograde filling of aortic arch)

참고 Final Check 산과 203 page

53 다음 초음파를 보고 진단명을 쓰시오.

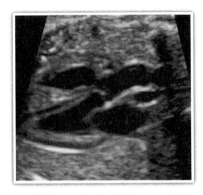

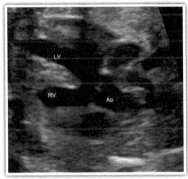

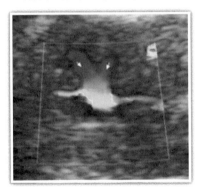

53

[정답] 팔로4징(Tetralogy of Fallot, TOF)

[해설] 팔로4징(Tetralogy of Fallot)의 초음파 소견

1. 4 chamber view에서 특징적인 소견이 없어 정상으로 보일 수 있음
2. 3 vessel view에서 대동맥의 크기가 폐동맥보다 크고, 정상보다 앞쪽에 위치
3. 큰 심실중격결손(large perimembranous VSD)과 대동맥 기승(overriding aorta)
4. 우심실 유출로 협착(RVOT obstruction)
5. 우심실 비대(right ventricle hypertrophy)

[참고] *Final Check 산과 204 page*

54 태아 초음파 검사상 심장에 아래와 같은 소견이 나타났다면 진단명을 쓰시오.

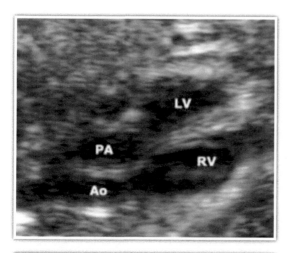

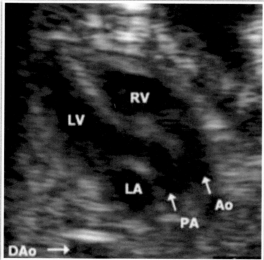

54

정답 대혈관전위(Transposition of the great arteries, TGA)

해설 대혈관전위(Transposition of the great arteries, TGA)의 초음파 소견

1. 4 chamber view는 대부분 정상
2. 3 vessel view에서 대동맥(aorta)이 폐동맥(pulmonary artery) 앞에 위치
3. 심실유출로 단면도(ventricular outflow tract view)에서 양대혈관이 평행으로 주행
4. 대동맥이 앞쪽의 우심실에서 기시하기 때문에 대동맥궁이 넓어짐

참고 Final Check 산과 206 page

55 다음 초음파를 보고 진단명을 쓰시오.

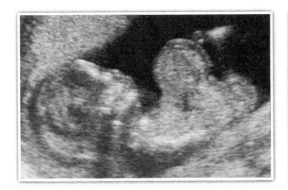
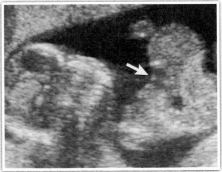
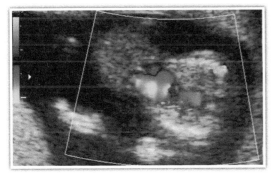
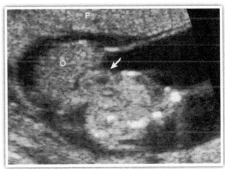

55

정답 심장딴곳증(ectopia cordis)

해설 심장딴곳증(ectopia cordis)의 초음파 소견

1. 비정상 위치(abnormal location)에서 보이는 심장
2. 임신 제1삼분기의 진단 소견
   a. 목덜미 투명대(nuchal translucency)의 증가
   b. 흉강(thoracic cavity) 바깥쪽에서 관찰되는 심박동 : 도플러가 유용
   c. 저형성 폐(hypoplastic lungs)

참고 *Final Check 산과 207 page*

56 다음은 임신 16주 태아의 초음파 영상이다. 진단명을 쓰시오.

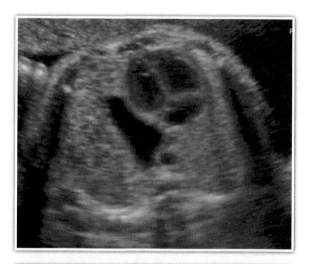

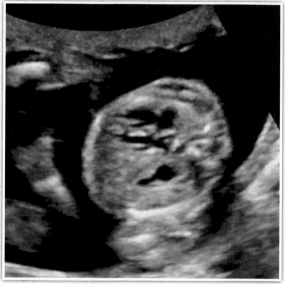

56

정답 선천성 횡격막 탈장(congenital diaphragmatic hernia)

해설 **선천성 횡격막 탈장(congenital diaphragmatic hernia)의 초음파 소견**

1. 심장이 위나 장에 밀려 흉부 중앙이나 우측으로 밀려남
2. 복강 내에 위 음영(stomach bubble)이 없음
3. 복부 둘레가 임신 주수에 비해 작음
4. 태아의 흉부에서 보이는 장의 연동 운동
5. 양수과다증이 흔함

참고 *Final Check 산과 188 page*

57 다음은 임신 30주 태아의 초음파 영상이다. 진단명을 쓰시오.

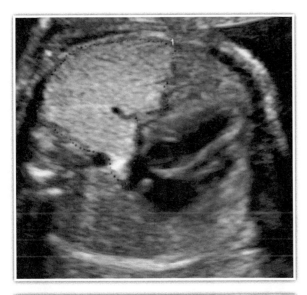

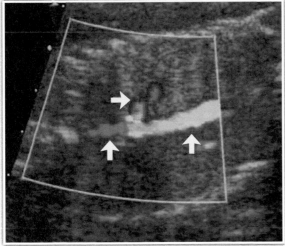

57

정답 폐분리증(pulmonary sequestration)

해설 폐분리증(pulmonary sequestration)의 초음파 소견

1. 엽 모양이나 삼각형의 경계가 잘 구분되는 균질한 에코의 종괴
2. 주로 좌측(90%) 폐의 하부와 횡격막 사이(supradiaphragmatic)에서 발생
3. 대동맥(aorta)에서 종괴로 유입되는 공급혈관(feeding vessels)이 중요한 소견
4. 기타 : 흉막 삼출액(pleural effusion), 종격동의 이동(mediastinal shift), 태아수종(hydrops), 양수과다증(polyhydramnios), 횡격막 탈장(diaphragmatic hernia)

참고 *Final Check 산과 187 page*

58 다음 초음파를 보고 진단명을 쓰시오.

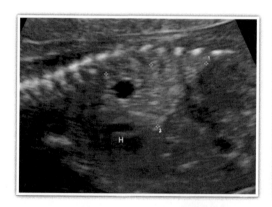
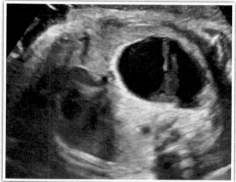
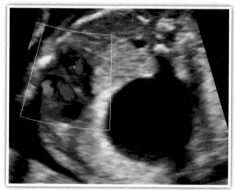
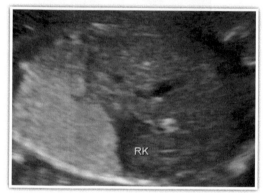

58

정답 선천성 폐기도기형(congenital pulmonary airway malformation, CPAM)

해설 선천성 폐기도기형(congenital pulmonary airway malformation, CPAM)의 초음파 소견

1. Macrocystic
   a. Cysts <5 mm
   b. Solid-appearing mass
2. Microcystic
   a. One or more cysts ≥5 mm
   b. Complex cystic mass
3. 폐 기저부(lung base)에서 흔함
4. 심장(heart)이 치우쳐져 보임
5. 폐동맥(pulmonary artery)에서 혈류 공급을 받고, 폐정맥(pulmonary vein)으로 배액

참고 *Final Check 산과 186 page*

59 다음 초음파를 보고 동그라미 안 화살표가 가리키는 구조물의 이름을 쓰시오.

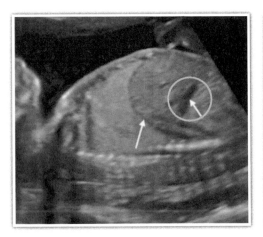 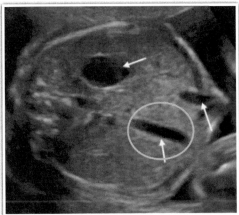

59

정답 담낭(gallbladder)

해설 **담낭(gallbladder)의 초음파 소견**

1. 횡단면에서 간의 우엽(right lobe)과 좌엽(left lobe) 사이에 액체가 차있는 타원형 또는 눈물방울 모양

2. 임신 14주 이전에는 관찰이 안되고, 14주 이후 관찰 가능

3. 임신 18~20주까지 안보이면 양수검사를 시행

참고 *Final Check 산과 210 page*

60 다음 초음파를 보고 진단명을 쓰시오.

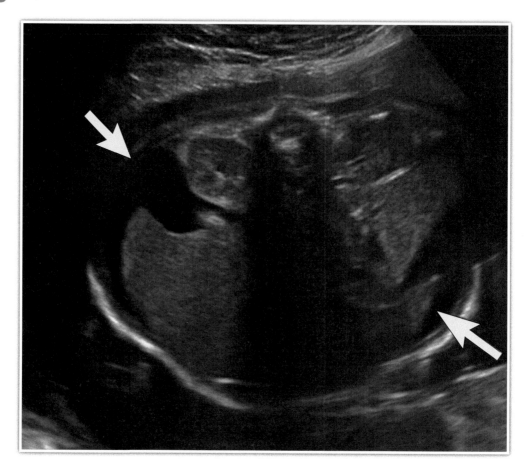

60

정답 복수(ascites)

해설 복수(ascites)의 초음파 소견

1. Anechoic fluid abdomen
2. Outlines intraperitoneal structures
3. Must distinguish from pseudoascites
4. Discovery of ascites requires work up for etiology

참고 *Final Check 산과 225 page*

61 다음 초음파를 보고 진단명을 쓰시오.

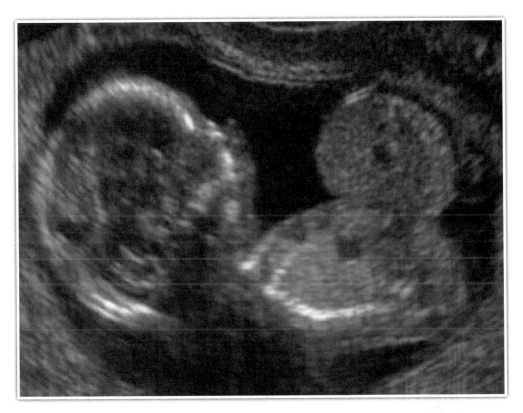

61

정답 배꼽탈출증(omphalocele)

해설 **배꼽탈출증(omphalocele)의 초음파 소견**
1. 중앙 전복벽에서 돌출된 막(membrane)으로 덥힌 매끄러운 덩어리
    a. Omphalocele membrane = Peritoneum + Amnion
    b. 내용물 : 간(liver), 소장(small bowel)
2. 탯줄(umbilical cord)이 막으로 들어감(항상 중앙은 아님)
3. 복수(ascites)가 흔히 동반됨

참고 *Final Check 산과 217 page*

62 다음은 임신 20주 태아의 복부 초음파 소견을 보고 진단명을 쓰시오.

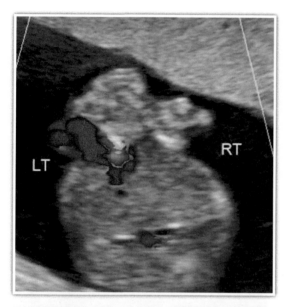

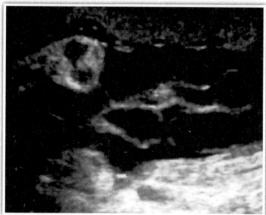

62

정답 배벽갈림증(gastroschisis)

해설 **배벽갈림증(gastroschisis)의 초음파 소견**

1. 복강 밖으로 나온 다수의 장 고리(multiple bowel loops)
2. 탈장된 장은 막에 싸여 있지 않음(no covering membrane)
3. 장은 허혈성 손상, 부종, 확장 등에 의해 섬유성 침착(fibrinous deposit), 장막성 침착(serosal deposit)이 덮여 있고, 연동저하 (hypoperistalsis), 폐쇄(atresia)를 보임
4. 소장과 대장만이 탯줄 우측으로 탈장되며, 간이 탈출되는 경우는 드묾
5. 양수과다증이 동반될 수 있으나 양수과소증(oligohydramnios)이 더 흔함

참고 *Final Check 산과 216 page*

63 다음은 임신 23주 산모의 태아 초음파 영상이다. 올바른 진단명을 쓰시오.

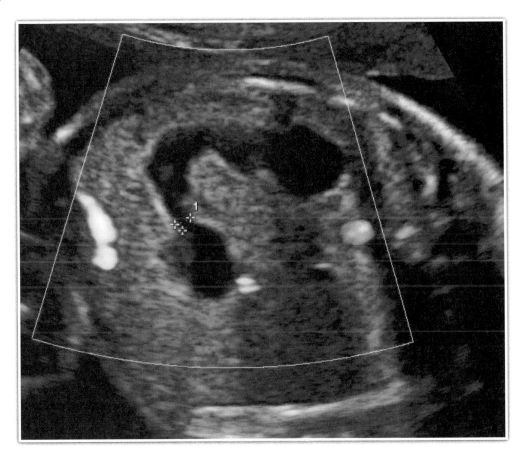

63

[정답] 샘창자폐쇄(duodenal atresia)

[해설] **샘창자폐쇄(duodenal atresia)의 초음파 소견**

1. 쌍기포징후(double-bubble sign) : 확장된 위와 샘창자에 의한 소견
2. 양수과다증(polyhydramnios) : 임신 후반기에 약 40%에서 동반
3. 위의 연동항진(hyperperistalsis of stomach)을 볼 수 있음
4. 샘창자에 차 있는 물은 항상 비정상 소견

[참고] *Final Check 산과 213 page*

64 다음은 복부 초음파와 부검 사진이다. 올바른 진단명을 쓰시오.

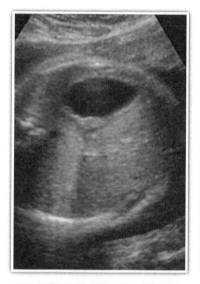 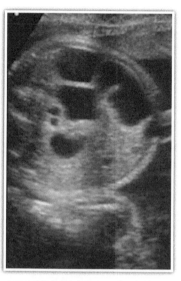

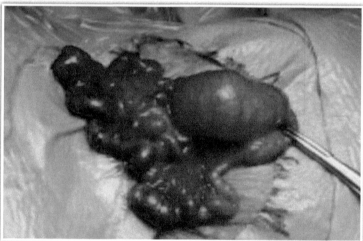

64

[정답] 공장폐쇄(jejunal atresia)

[해설] Jejunal atresia의 초음파 소견

1. Dilated, fluid-filled loops of bowel
2. Bowel contents commonly echogenic
3. Triple bubble for proximal jejunal atresia
4. Sausage-shaped bowel loops
5. Hyperperistalsis of obstructed segments often seen in real time
6. Polyhydramnios

[참고] *Final Check* 산과 214 page

65 다음 초음파 영상을 보고 진단명을 쓰시오.

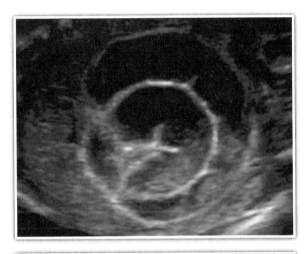

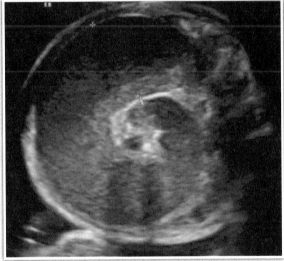

65

정답 장염전(volvulus)

해설 **장염전(volvulus)의 초음파 소견**

1. 장의 확장(dilated bowel) : "whirlpool", "coffee bean" sign
2. 경색, 괴사, 출혈로 인한 고음영 내벽(echogenic intraluminal contents)
3. 복수(ascites)
4. 경색된 장은 연동운동이 없음(loss of peristalsis)

참고 *Final Check 산과 216 page*

66 다음 (A) 구조물의 이름을 쓰시오.

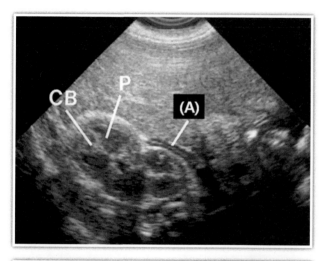

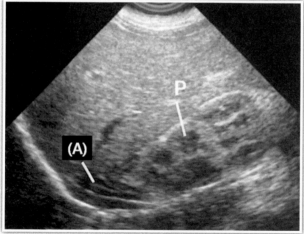

66

[정답] Adrenal gland

[해설]

[참고] *Final Check 산과 186 page*

67 다음 초음파를 보고 진단명을 쓰시오.

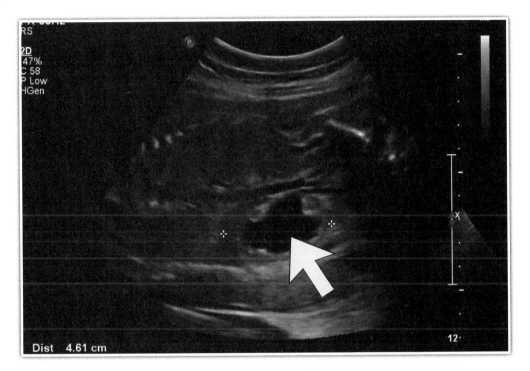

67

정답 신우요관이행부폐쇄(ureteropelvic junction obstruction)

해설 **신우요관이행부폐쇄(ureteropelvic junction obstruction)의 초음파 소견**

1. 신우(pelvis)와 신배(calyceal)의 확장이 신우요관이행부(ureteropelvic junction)에서 갑자기 끝남
2. 요관, 방광, 양수량은 정상(normal ureters, bladder, amniotic fluid level)
3. 병변이 진행됨에 따라 신장의 피질은 얇아지고 음영이 증가
4. 신장의 크기가 커짐(enlarged kidney)

참고 *Final Check 산과 224 page*

68 다음 초음파를 보고 진단명을 쓰시오.

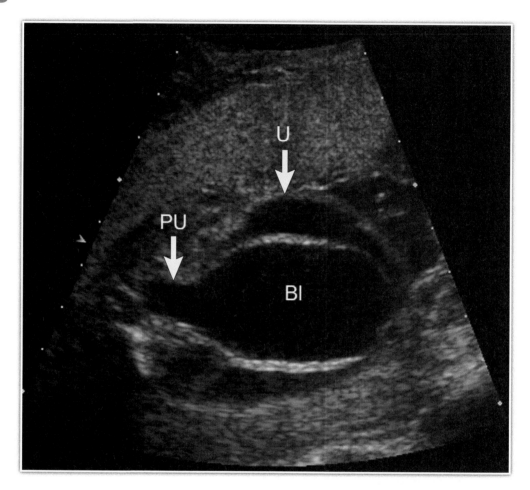

68

정답 후부요도판막(posterior urethral valve)

해설 **후부요도판막(posterior urethral valve)의 초음파 소견**
1. 방광이 크고 방광벽은 두꺼워짐(>2 mm)
2. 방광과 근위 요도의 확장으로 열쇠구멍모양(keyhole appearance)을 보임
3. Hydronephrosis, hydroureter
4. 요관이 파열되면 복수, 신주위뇨종(perinephric urinoma)이 보일 수 있음
5. 양수과소증(Oligohydramnios)

참고 *Final Check 산과 224 page*

69 다음 초음파 영상을 보고 진단명을 쓰시오.

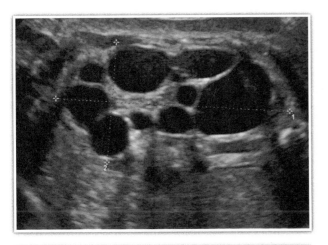

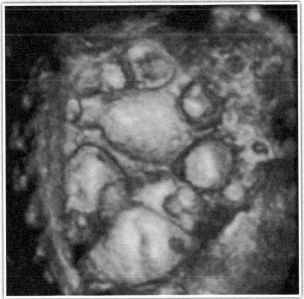

69

정답 다낭이형성신장(multicystic dysplastic kidney, MCDK)

해설 **다낭이형성신장(multicystic dysplastic kidney, MCDK)의 초음파 소견**

1. 연결되지 않은 다양한 크기의 수많은 낭종(multiple noncommunicating cysts)
2. 대개 일측성이고, 신장의 크기가 커지지만 정상적인 수질과 피질이 보이지 않음
3. 도플러상 신동맥은 작거나 관찰되지 않음
4. 정상 양수량

참고 *Final Check 산과 222 page*

70 다음 초음파를 보고 진단명을 쓰시오.

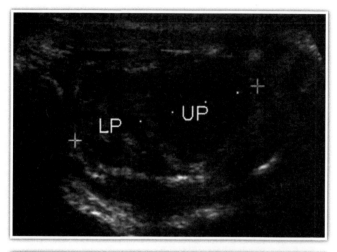

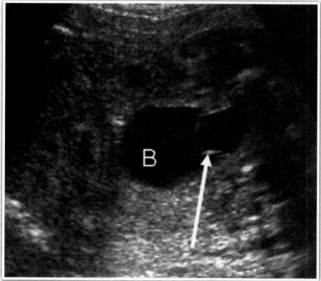

70

정답 중복신장(renal duplication)

해설 **중복신장(renal duplication)의 초음파 소견**

1. 비대칭적인 신장 크기(asymmetric renal size)
2. 신우의 확장 정도가 신장 위쪽과 아래쪽이 서로 다르게 나타남
3. 요관 확장과 방광 내 이소성 요관낭종(ectopic ureterocele)이 관찰됨

참고 *Final Check 산과 223 page*

71 다음 영상을 보고 진단명을 쓰시오.

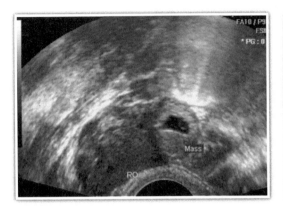
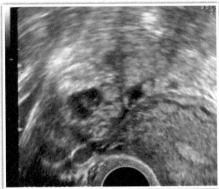
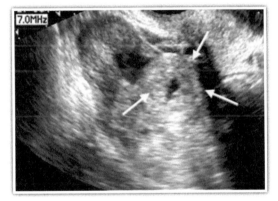

71

[정답] 난관 임신(tubal pregnancy)

[해설] **난관 임신(tubal pregnancy)의 초음파 소견**

1. 자궁내막은 탈락막 형성으로 두꺼워져 있으나 임신낭이 자궁강 내에 존재하지 않음
2. 부속기 고리(adnexal ring) : 자궁 부속기에 1~3 cm 정도의 저반향성 둥근 모양의 중간 영역과 이를 둘러싼 고반향성 영양막 경계(hyperechoic ring)와 근층의 모양으로 관찰
3. 낮은 교류저항의 도플러 파형을 보이거나 덩이 주위로 고리 모양의 색 도플러 소견(vascular ring)이 보임

[참고] *Final Check 산과 400 page*

72 다음 영상을 보고 진단명을 쓰시오.

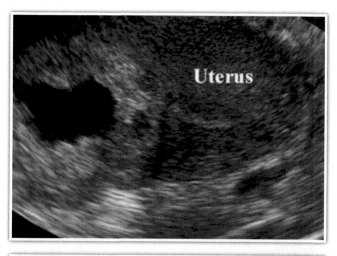

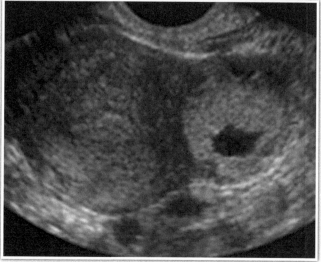

72

[정답] 간질부 임신(interstitial pregnancy)
[해설] 간질부 임신(interstitial pregnancy)의 초음파 소견
1. Eccentric gestational sac
2. Incomplete myometrial coverage
3. Sac within 5 mm of uterine serosa
[참고] *Final Check 산과 407 page*

CHAPTER 03

산과 문제 해결

01 다음 중 상실배(morula)를 고르시오.

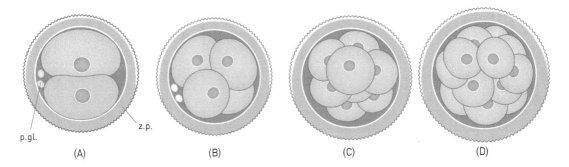

(A)   (B)   (C)   (D)

p.gl.   z.p.

① A

② B

③ C

④ D

01

정답 ④

해설

(A) Two-cell stage

(B) Four-cell stage

(C) Eight-cell stage

(D) Morula stage

참고 *Final Check 산과 64 page*

02 무월경 6주의 여성이 소변 임신반응 검사 양성을 주소로 내원하였다. 초음파에서 Yolk sac과 CRL 5 mm 크기의 fetal pole은 관찰되었지만 심박동이 관찰되지 않았다. 다음 처치로 가장 적절한 것을 고르시오.

① 경과관찰
② Progesterone
③ Methotrexate
④ Misoprostol
⑤ 자궁내막 긁어냄술

02

정답 ④

해설 **자연 유산의 확실한 진단**
1. 7 mm 이상의 머리엉덩길이와 심박동 없음
2. 25 mm 이상의 태아주머니와 배아 없음
3. 난황주머니가 없는 태아주머니 확인 후 2주 이상 지나서도 심박동 있는 배아가 보이지 않는 경우
4. 난황주머니가 있는 태아주머니 확인 후 11일 이상 지나서도 심박동 있는 배아가 보이지 않는 경우

참고 *Final Check 산과 80 page*

03 다음 중 CRL을 바르게 측정한 것을 고르시오.

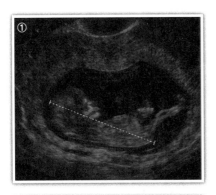

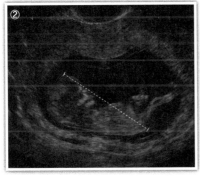

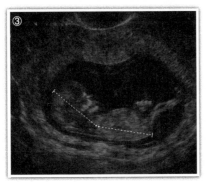

03

정답 ②

해설

1. Typical measurement of crown rump length
2. True crown rump length
3. Maximal axial length

참고 *Final Check 산과 158 page*

04 다음 중 태아의 복부 둘레(AC)를 바르게 측정한 것을 고르시오.

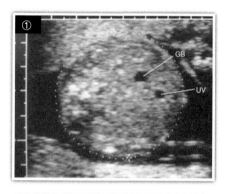

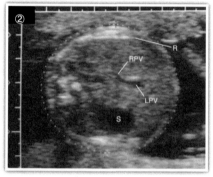

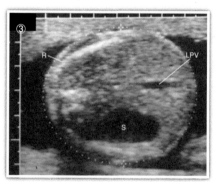

04

정답 ②

해설 **복부 둘레(abdominal circumference, HC)**

1. 단면이 태아 대동맥이나 척추와 직각이 되도록 고정하고, 태아 복부의 단면 형태가 최대한 원형이 되도록 함
2. 문정맥(portal sinus) 위치에서 탯줄정맥(umbilical vein)이 나타나도록 함
3. 위장(stomach) 음영이 보이고, 탯줄정맥의 복부 삽입부나 신장은 보이지 않아야 함
4. 캘리퍼(caliper)를 피부 가장자리에 위치하고 측정

참고 *Final Check 산과 163 page*

05 다음 중 목덜미 투명대(nuchal translucency)를 올바르게 측정한 것을 고르시오.

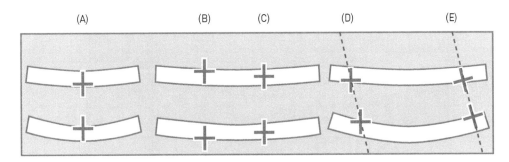

05

정답 A

해설 **태아 목덜미 투명대(NT) 측정법**

1. 태아가 전체 화면의 75% 이상되도록 확대 한 후 중앙 시상면(midsagittal plane)에서 측정
2. 태아의 코뼈와 코 피부 음영이 보이고, 구개(palate)가 일직선으로 잘 보여야 함
3. 태아의 목이 중립 위치(neutral position)에서 측정
4. 캘리퍼를 투명대 내측에서 연조직 내측(inner to inner)에 위치하여 최대 두께를 측정
5. 최소 3회 이상 측정한 후 가장 높은 값을 최종 결과로 기록

참고 *Final Check 산과 159 page*

06 임신 11주 태아의 초음파가 다음과 같이 측정될 때 다음 처치로 가장 알맞은 것은 무엇인가?

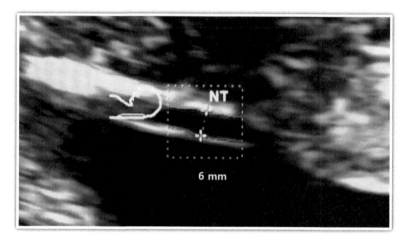

① 1주일 후 재검
② MSAFP 재검
③ 양수 천자
④ 융모막 생검
⑤ 임신 종결

06

정답 ④

해설 **목덜미 투명대(NT)의 증가**
1. 검사 시기 : 임신 11주 0일에서 13주 6일(CRL이 45~84 mm일 때)
2. 기준값(ACOG, 2016)
   a. ≥99 percentile of gestational age(CRL)
   b. ≥3 mm
3. 목덜미 투명대의 증가 확인되면 염색체 핵형 검사(karyotyping)를 시행

참고 Final Check 산과 159 page

07 무월경 6주 여성이 아랫배의 약한 통증과 소량의 질 출혈을 주소로 내원하였다. 시행한 소변 임신 검사상 양성으로 확인되었고, 초음파 소견은 아래와 같았다. 이 환자에 대한 처치로 올바른 것을 고르시오.

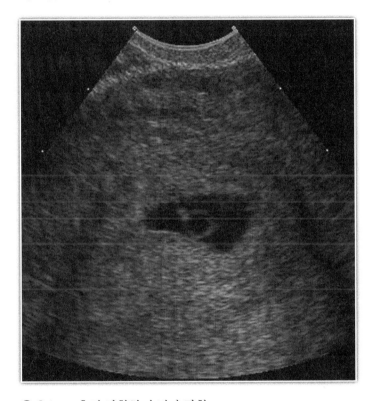

① β-hCG 추적 관찰하며 경과 관찰

② Methotrexate(MTX)

③ 자궁내막 소파술

④ 진단적 복강경술

⑤ Pelvic MRI

07

정답 ①

해설 **임신 제1삼분기의 초기 초음파 소견**

1. 임신낭(gestational sac)이 보이는 시기
   a. 질 초음파(TVUS)상 임신 5주
   b. 복부 초음파(TAUS)상 임신 6주
2. 배아와 심박동(embryo with cardiac activity)이 보이는 시기
   a. 질 초음파(TVUS)상 임신 6주
   b. 복부 초음파(TAUS)상 임신 7주

참고 *Final Check 산과 158 page*

08 임신 10주 산모의 초음파상 아래와 같은 소견이 보일 때 다음 처치를 쓰시오.

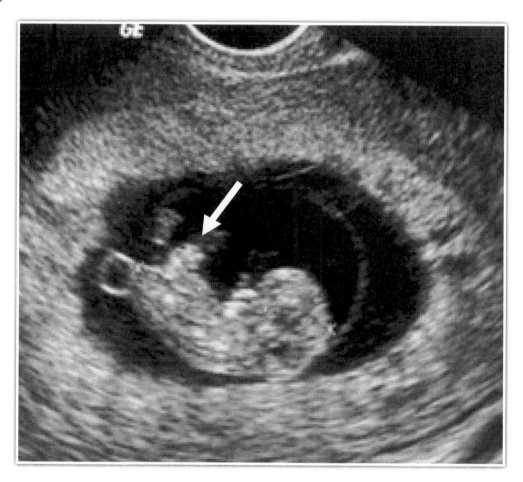

08

정답 2~3주 후 초음파 추적검사

해설 생리적 중간창자 탈장(Physiologic midgut herniation)

1. 임신 8주경에 탯줄을 따라 장이 나오는 현상
2. 대개 1 cm 미만이며 임신 11~12주까지 보일 수 있는 정상적인 소견
3. 복벽 결손(abdominal wall defect) 여부는 임신 12주 이후에 확인

참고 *Final Check 산과 158 page*

09 임신 28주와 30주에 시행한 초음파상 umbilical artery와 MCA의 blood flow velocity wave form이 다음과 같고, 태아 예상체중 5 percentile, AFI = 9 cm이었다. NST는 reactive pattern, good variability로 확인되었다. 이 산모의 다음 처치로 가장 적절한 것을 고르시오.

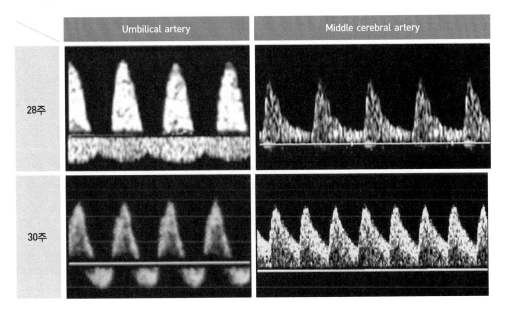

① 경과관찰
② 저용량 아스피린
③ 헤파린
④ 유도분만
⑤ 제왕절개

09

[정답] ①

[해설] **뇌보호(Brain sparing)**
1. 뇌에 산소와 영양분을 우선적으로 공급하여 정상적인 뇌와 머리 성장 유지
2. 간 무게에 대한 뇌 무게의 비율
   a. 일반적인 임신 마지막 12주 동안 약 3:1
   b. 심각한 성장제한 신생아는 약 5:1 이상 증가

[참고] *Final Check 산과 747 page*

10 다음은 임신 28주와 30주에 시행한 umbilical artery와 MCA의 blood flow velocity wave form이다. Fetal circulation에서 나타나는 이러한 작용을 무엇이라고 하는지 쓰시오.

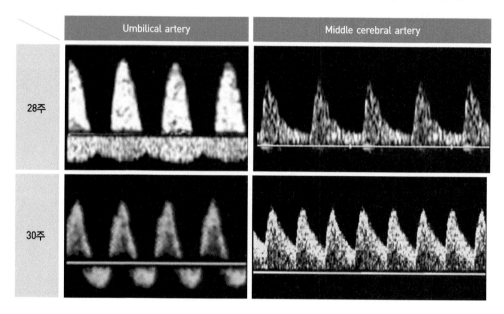

10

정답 Brain-sparing effect

해설 뇌보호(Brain sparing)

1. 뇌에 산소와 영양분을 우선적으로 공급하여 정상적인 뇌와 머리 성장 유지
2. 간 무게에 대한 뇌 무게의 비율
   a. 일반적인 임신 마지막 12주 동안 약 3:1
   b. 심각한 성장제한 신생아는 약 5:1 이상 증가

참고 Final Check 산과 747 page

11 다음 초음파에서 보이는 질환을 예방하기 위하여 투여해야 하는 약물을 쓰시오.

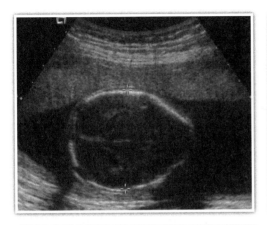
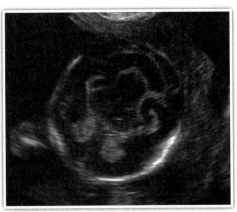
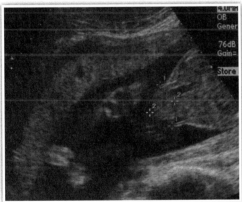
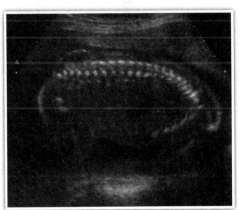

11

정답 │ 엽산(Folic acid)

해설 │ 신경관결손(Neural tube defects, NTD)

1. 뇌에서 척수로 이어지는 신경관의 어느 부위에서든 신경관을 형성하고 있는 막이나 뼈, 피부의 결손으로 발생되는 질환
2. 위험인자
   a. 다인자성으로 발생
   b. 엽산 부족, 산모의 당뇨병, 비만, 간질병, 임신 초기의 고온노출 등
3. 일반적인 임산부는 엽산(folic acid, Vit, B9)을 400μg 매일 복용

참고 *Final Check 산과 133 page*

12 다음 초음파에서 보이는 질환을 예방하기 위하여 투여해야 하는 약물을 고르시오.

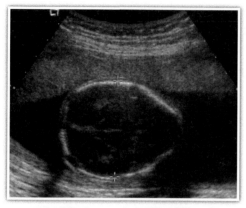 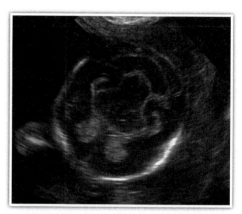

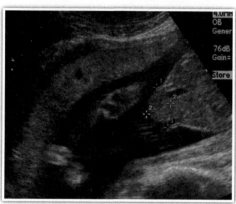 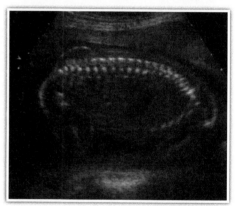

① Vit. B6

② Vit. B9

③ Vit. C

④ Vit. D

⑤ Vit. E

12

정답 ②

해설 신경관결손(Neural tube defects, NTD)

1. 뇌에서 척수로 이어지는 신경관의 어느 부위에서든 신경관을 형성하고 있는 막이나 뼈, 피부의 결손으로 발생되는 질환
2. 위험인자
   a. 다인자성으로 발생
   b. 엽산 부족, 산모의 당뇨병, 비만, 간질병, 임신 초기의 고온노출 등
3. 일반적인 임산부는 엽산(folic acid, Vit. B9)을 400μg 매일 복용

참고 *Final Check 산과 133 page*

13 아래와 같은 초음파 소견을 가진 태아에서 볼 수 있는 소견을 고르시오.

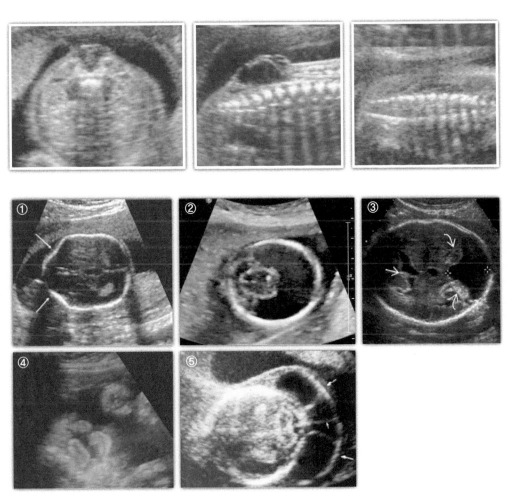

13

정답 ①

해설 Arnold–Chiari II malformation

1. 척추이분증(spina bifida)과 동반되어 발생
2. 큰구멍(foramen magnum)을 통하여 소뇌가 경추 상부 쪽으로 당겨지면서 발생
3. 척추이분증의 99%에서 다음 중 하나 이상의 두개 내 징후(cranial signs)를 동반
4. 두개 내 징후(cranial signs)
   a. 양쪽마루뼈지름 감소(small BPD)
   b. 뇌실확장증(ventriculomegaly)
   c. 레몬 징후(lemon sign) : 이마뼈가 뾰족 해지는 모양(frontal bone scalloping)
   d. 바나나 징후(banana sign) : 소뇌가 큰구멍 쪽으로 빠지면서 바나나 모양으로 변형
   e. 대조(cisterna magna)가 작거나 보이지 않음

참고 *Final Check 산과 169 page*

14 다음 사진의 질환에서 가장 많은 핵형을 차지하는 것을 고르시오.

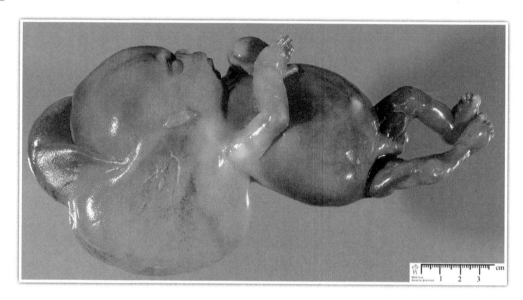

① Trisomy 21

② Trisomy 18

③ Trisomy 13

④ 45, X

⑤ 47, XXX

14

정답 ④

해설 45,X (Turner syndrome, 터너증후군)

1. 60~70% associated with aneuploidy
2. Turner syndrome (45,X) : 70%
3. Mosaic aneuploidy : Trisomy 13, 18, 21

참고 Final Check 산과 274 page

15 Triple marker 검사상 3개 항목 모두 저하되어 있어 실시한 초음파가 다음과 같았다면, 다음으로 시행해야 할 처치로 가장 적절한 것을 쓰시오.

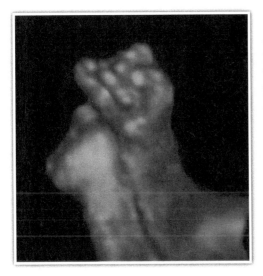 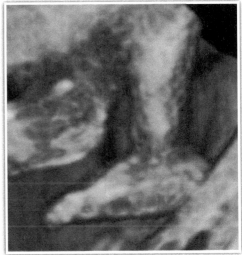

15

[정답] 염색체검사(karyotyping)

[해설] 18 세염색체 증후군(Trisomy 18 syndrome, Edward syndrome)

주요 기형(Major anomaly)	외형적 특징(Characteristic features)
· 심장 기형(90%) : VSD, ASD, 동맥관개존증 · Cerebellar vermis agenesis · Choroid plexus cysts · 수막척수탈출증(meningomyelocele) · 횡격막 탈장(diaphragmatic hernia) · 배꼽탈출증(omphalocele) · 항문폐쇄(imperforate anus) · 신장 기형(renal anomaly) : Horseshoe kidney	· 돌출된 후두부와 작은 머리 · 외이 결함(malformed auricles) · 작은 턱(micrognathia) · Clenched hand · Rocker-bottom feet, clubbed feet · 태아성장제한(fetal growth restriction)

[참고] *Final Check 산과 272 page*

16 다음은 임신 18주에 시행한 초음파 소견이다. 가장 연관이 깊은 염색체 이상을 고르시오.

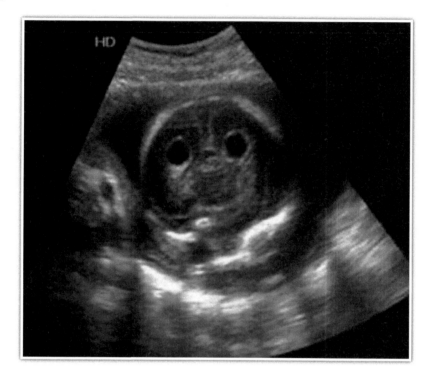

① Trisomy 21

② Trisomy 18

③ Trisomy 13

④ Turner syndrome

⑤ Swyer syndrome

16

정답 ②

해설 **맥락막총 낭종(Choroid plexus cysts, CPC)**

1. 염색체 이상의 위험도가 증가
   a. 낭종의 개수, 크기, 양측성과는 관련이 없음
   b. Trisomy 18의 50% 정도에서 CPC가 관찰됨
2. 염색체가 정상인 경우에도 약 18%에서 동반 이상이 발생 : IUGR, brachycephaly, microcephaly, short femur, pyelectasis, ventriculomegaly

참고 Final Check 산과 274 page

17

다음은 ventriculomegaly 소견을 보이는 초음파이다 뇌실의 크기를 정확하게 잰 것을 고르시오.

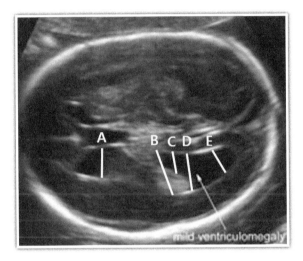

① A

② B

③ C

④ D

⑤ E

17

정답 ④

해설 측뇌실(lateral ventricle)의 측정

1. 가측 뇌실(lateral ventricle)이 뒷뿔(posterior horn)과 옆뿔(temporal horn)로 이행되는 부위 뇌실방(atrium)에서 측정

2. 맥락얼기뭉치(glomus of choroid plexus) 바로 옆에서 뇌실의 벽에 수직으로 벽 안쪽부터 반대편 벽 안쪽(inner to inner margin)까지 측정

참고 Final Check 산과 170 page

18 아래와 같은 태아 초음파 소견을 보이는 산모에게 시행해야 할 다음 검사를 고르시오.

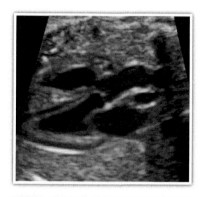 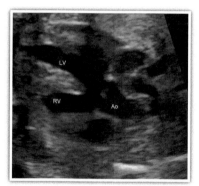

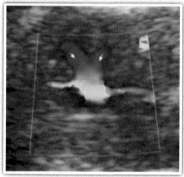

① AFP

② AchE

③ TORCH

④ NIPT

⑤ 염색체 검사

18

정답 ⑤

해설 팔로4징(Tetralogy of Fallot, TOF)의 초음파 소견

1. 4 chamber view에서 특징적인 소견이 없어 정상으로 보일 수 있음
2. 3 vessel view에서 대동맥의 크기가 폐동맥보다 크고, 정상보다 앞쪽에 위치
3. 큰 심실중격결손(large perimembranous VSD)과 대동맥 기승(overriding aorta)
4. 우심실 유출로 협착(RVOT obstruction) : 임신 후반기로 갈수록 잘 보임
5. 우심실 비대(right ventricle hypertrophy) : 임신 중 확인할 수 없음

참고 Final Check 산과 204 page

19 임신 22주 산모의 초음파상 태아의 가슴 소견이 다음과 같았다. 1주일 전에도 both pleural effusion으로 fetal thoracentesis 시행하였다면 다음으로 가장 적절한 처치를 고르시오

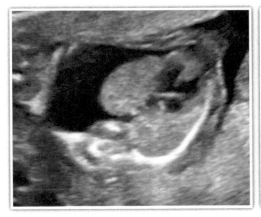 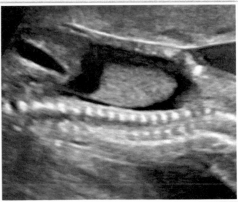

① 경과 관찰
② Indomethacin
③ Prostaglandin
④ Thoracic shunt
⑤ 즉시 분만

19

정답 ④

해설 흉수(Pleural effusion)의 초음파 소견
1. 심장이 아닌 폐 주변의 수액층
2. 폐가 흉수에 떠있는 양상(wing-like appearance)
3. Large pleural effusion → circumferential pressure on lungs → lungs collapse centrally → angel wing appearance

참고 *Final Check 산과 190 page*

20 임신 28주인 Rh (−) 산모의 초음파 소견이 다음과 같다면 다음 처치로 가장 적절한 것을 고르시오.

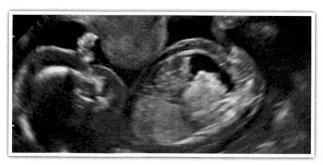
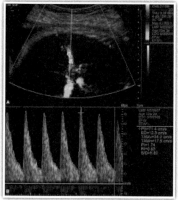

① 경과 관찰
② 유도 분만
③ 응급 제왕절개술
④ 태아 수혈
⑤ 치료적 유산

20

[정답] ④

[해설] **동종 면역의 가능성이 있는 임신의 처치**
1. 산모의 주기적 항체 역가 검사 : 간접쿰스검사(indirect Coombs test)
2. 태아 중뇌동맥 최고 수축기 속도 감시(fetal middle cerebral artery peak systolic velocity)
   a. 태아 빈혈의 정도를 예측하는 비침습적인 방법으로 최근 유용하게 이용
   b. Threshold ⟩1.5 MoM : 중등도 이상의 빈혈을 나타냄, Fetal blood sampling 및 fetal transfusion 고려

[참고] *Final Check 산과 325 page*

21 다음 중 보통염색체 우성 다낭신장질환(autosomal-dominant polycystic kidney disease)의
초음파를 고르시오.

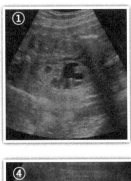
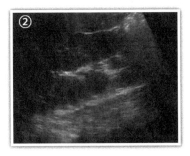
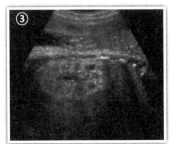

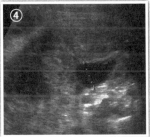
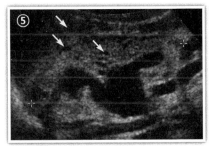

21

정답 ②

해설 **보통염색체 우성 다낭신장질환**(Autosomal-dominant polycystic kidney disease, ADPKD)

1. 신장의 음영이 간(liver)의 음영과 비슷하게 증가

2. 신장과 수질의 차이가 뚜렷함

3. 신장의 크기는 약간 증가하지만 ARPKD보다는 작은 정도

4. 양수량은 정상

참고 *Final Check 산과 221 page*

22 다음 가계도의 유전방식은 무엇인가?

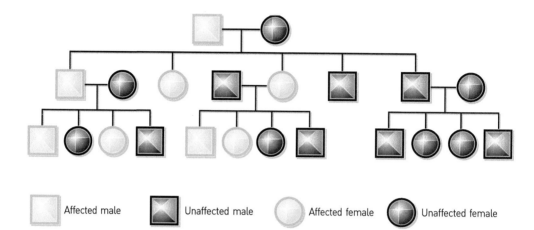

☐ Affected male   ☒ Unaffected male   ◯ Affected female   ⬤ Unaffected female

① 보통염색체 우성 유전
② 보통염색체 열성 유전
③ X-연관 우성 유전
④ X-연관 열성 유전
⑤ 상호 우성유전

22

정답 ①

해설 **보통염색체 우성유전(Autosomal Dominant inheritance)**
1. 돌연변이 유전자(mutant gene)가 하나만 있어도 표현형(phenotype)이 발현
2. 수직 전파(vertical transmission)
  a. 세대를 거르지 않고 모든 세대에서 보임
  b. 부부의 한 쪽은 정상이고 한 쪽은 비정상인 경우, 자녀의 50%에서 질환이 발생
  c. 질환이 생긴 자녀의 자손 50%에서 이환
참고 Final Check 산과 289 page

23 다음의 가계도에서 보이는 유전질환의 유전양식은 무엇인가?

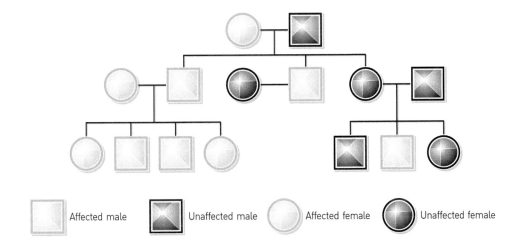

Affected male   Unaffected male   Affected female   Unaffected female

① 보통염색체 우성 유전
② 보통염색체 열성 유전
③ X-연관 우성 유전
④ X-연관 열성 유전
⑤ 상호 우성 유전

23

정답 ④

해설 **X 연관성 열성유전(X-linked Recessive inheritance)**
1. X 연관성 질환의 대부분은 열성유전
2. 사선 전파(oblique transmission)
  a. 주로 남자에게만 발생 : 남자는 반접합(hemizygous) 상태이므로 어머니가 보인자일때 아들의 50%에서 질환이 발생
  b. 여자가 보인자(carrier)로서 이접합체(heterozygous)인 경우에는 정상으로 보임
참고 *Final Check 산과 291 page*

24 임신 6~8주경 자연 유산의 과거력이 3회 있는 35세 여성이 상담을 위해 내원하였다. 시행한 검사상 남편의 염색체 검사가 다음과 같았다면 이 환자의 임신을 위해 합당한 방법을 고르시오.

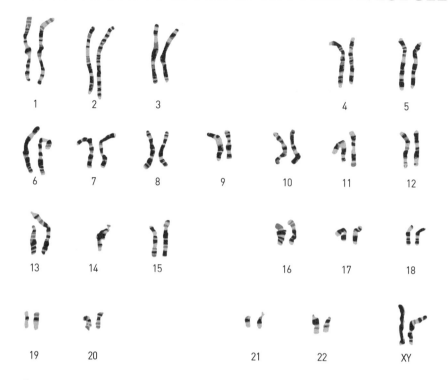

① ICSI

② GIFT

③ Heparin + Aspirin

④ IVF with PGD

24

정답 ④

해설 로버트슨전위(Robertsonian translocations)

1. 두 개의 끝곁매듭 염색체(acrocentric chromosome)들 장완이 중심절에서 결합된 형태
   a. 끝곁매듭 염색체 : 염색체 13, 14, 15, 21, 22
   b. 중심절 부위에서의 결합으로 인해 한쪽 중심절과 염색체 단완의 위성체 부위를 잃게 됨
   c. 습관성 유산의 원인 중 약 5% 미만을 차지
2. 로버트슨전위 보인자(Robertsonian translocation carrier)
   a. 45개의 염색체를 가짐
   b. 생식력 장애(reproductive difficulty) 발생

참고 *Final Check 산과 280 page*

25 다음 그림은 어떠한 염색체 변형을 나타내는 것인가?

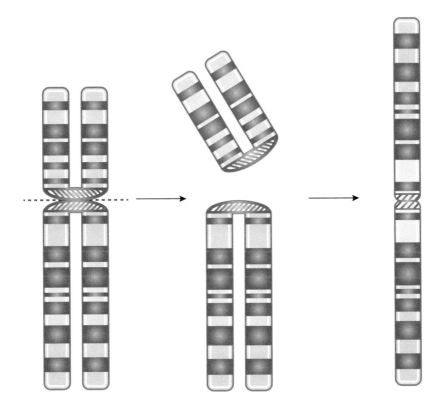

① Deletion

② Inversion

③ Mosaicism

④ Isochromosome

⑤ Reciprocal translocation

25

정답 ④

해설 **등완염색체(Isochromosome)**

1. 단완부(p arm)나 장완부(q arm) 중 한쪽이 소실되고 남은 쪽이 거울상으로 복제된 형태
2. 원인
   a. 제 2 감수분열(meiosis) 시기에 동원체가 종단 분리가 되지 못하고 횡단 분리가 되어 발생
   b. 로버트슨전위가 되어 발생
3. I(Xq) : 터너증후군의 15%에서 발견되는 가장 흔한 형태

참고 *Final Check 산과 282 page*

26 다음 사진에 해당하는 핵형을 고르시오.

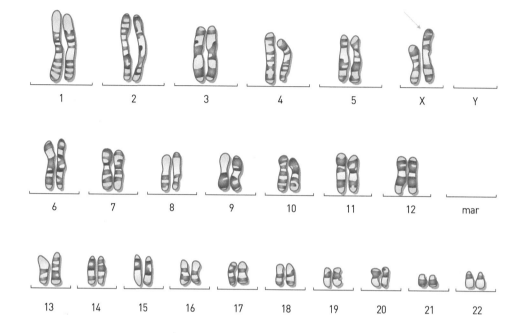

① 45,X

② 45,X/46,XX

③ 46,X,i(X)(q10)

④ 46,X,Xp-

26

정답 ③

해설 **등완염색체(Isochromosome)**

1. 단완부(p arm)나 장완부(q arm) 중 한쪽이 소실되고 남은 쪽이 거울상으로 복제된 형태
2. 원인
   a. 제 2 감수분열(meiosis) 시기에 동원체가 종단 분리가 되지 못하고 횡단 분리가 되어 발생
   b. 로버트슨전위가 되어 발생
3. i(Xq) : 터너증후군의 15%에서 발견되는 가장 흔한 형태

참고 Final Check 산과 282 page

27 다음 질환들이 일어나는 기전을 고르시오.

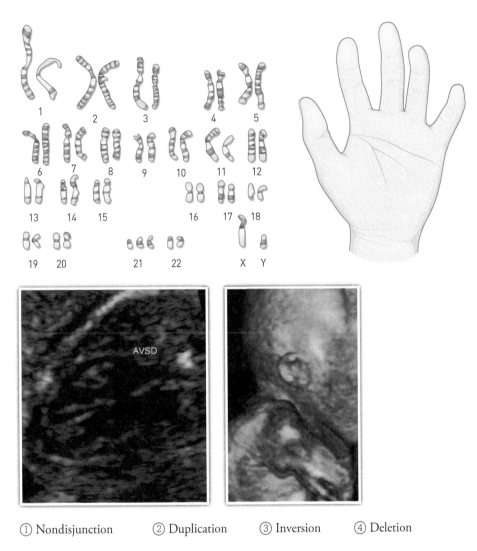

① Nondisjunction　　② Duplication　　③ Inversion　　④ Deletion

27

정답 ①

해설 21 세염색체 증후군(Trisomy 21 syndrome, Down syndrome)

1. 원인
   a. 어머니쪽의 21번 염색체의 비분리 현상(maternal nondisjunction) : 약 95% 차지
   b. 비분리 현상의 75%는 감수분열 I 기, 25%는 감수분열 II 기에 발생
2. 핵형(karyotype)
   a. Trisomy 21(47,XY,+21) : 95%, 가장 흔한 형태
   b. 나머지 : 전위(translocation), 섞임증(mosaicism)

참고 *Final Check 산과 page270*

28 다음 중 염색체 기형이 동반될 가능성이 가장 많은 것을 고르시오.

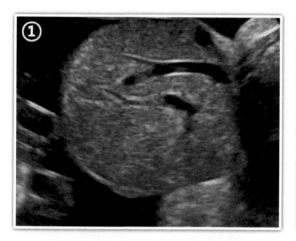

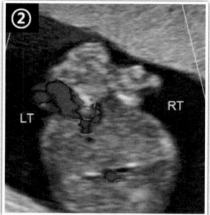

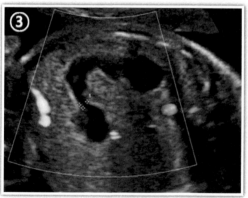

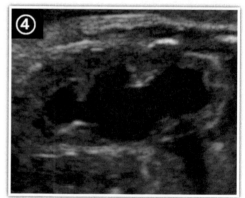

28

정답 ①

해설 **배꼽탈출증(Omphalocele)**
1. 외측주름의 융합장애로 중앙 복벽 결손에 의해 탯줄내로 복부 내용물이 탈장 되는 것
2. 진단된 경우 염색체 검사를 포함한 자세한 검사가 필요 : 50% 이상에서 홀배수체 및 기타 주기형 동반

참고 *Final Check 산과 217 page*

29 임신 21주 산모가 산전 검사를 위해 내원하였다. 산모의 피부에는 adenoma sebuceum이 관찰되었으며, 과거력상 신장질환을 앓은 적이 있다고 하였다. 시행한 태아 심장 초음파가 아래와 같을 때 이 태아에게 나타날 수 있는 소견을 고르시오.

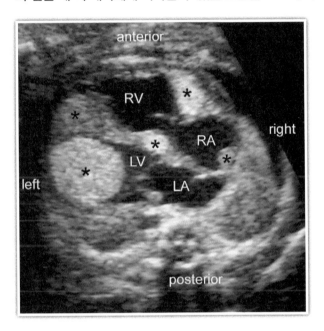

① Neurofibromatosis

② Connective tissue nevi

③ Tuberous sclerosis

④ Scleroderma

⑤ Noonan syndrome

29

정답 ③

해설 심장 횡문근종(Cardiac rhabdomyoma)

1. 소아에서 가장 흔한 원발성의 양성 평활근(benign smooth muscle tumor) 심장 종양
2. 태아의 50~85%에서 결절성 경화증(tuberous sclerosis)이 동반
3. 초음파 소견
   a. 경계가 분명한 고음영의 심장 내 덩어리
   b. 좌심실(left ventricle)에 영향을 미침
   c. 부정맥 또는 유출로 폐쇄로 인해 수종(hydrops) 발생 가능

참고 *Final Check* 산과 *208 page*

30 다음 사진과 같은 기형을 유발할 수 있는 약물을 쓰시오.

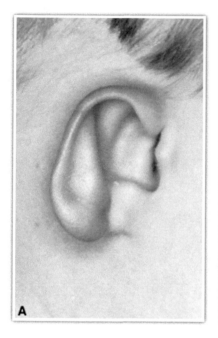
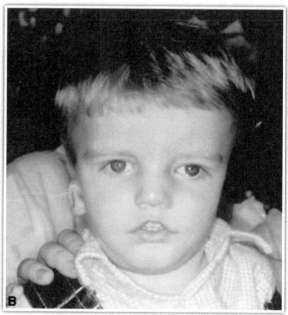

① Isoretinoic acid

② Oral contraceptive agent

③ Naproxen

④ Glucocorticoid

⑤ Thalidomide

30

정답 ①

해설 **이소트레티노인(Isotretinoin)**

1. 강력한 기형유발물질 중 하나

2. 중추신경계, 두개, 안면, 뇌, 흉선, 사지, 심혈관 계통의 선천성 기형발생이 증가

참고 *Final Check 산과 263 page*

31 다음 중 임신 초기 섭취 시 아래와 같은 기형을 유발할 수 있는 물질을 고르시오.

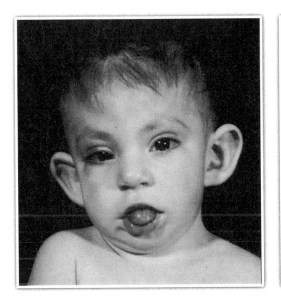 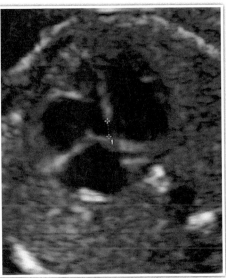

① 니코틴

② 알코올

③ 카페인

④ 타이레놀

⑤ 아목사실린

31

정답 ②

해설 **알코올(Alcohol)**

1. Ethanol, ethyl alcohol : 강력한 기형유발물질

2. 태아 알코올증후군(fetal alcohol syndrome)

   a. 안면 기형 : 짧은 안검열, 길고 편평한 인중, 얇은 윗입술

   b. 출생 전 또는 후의 성장제한(키나 몸무게가 10 백분위수 이하)

   c. 중추신경계의 이상 : 뇌성장저하, 뇌기형, 지능저하

   d. 뇌, 심장, 척추 이상

   e. 뇌성마비, 간질, 감각이상

참고 *Final Check 산과 254 page*

32 무월경 8주 여성이 하복부 통증과 질 출혈을 주소로 내원하였다. 복강경 소견이 아래와 같다면 이 질환의 위험인자가 아닌 것을 고르시오.

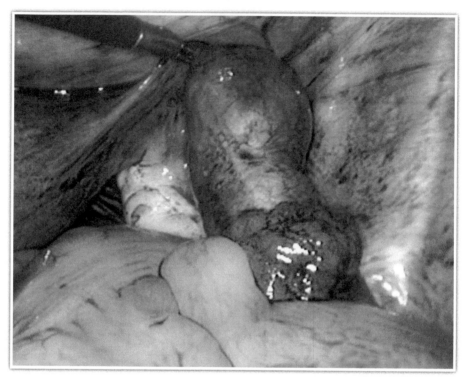

① 보조 생식술   ② 경구 피임약 복용

③ 골반염   ④ 난관 결찰술

⑤ 흡연

32

정답 ②

해설 난관 임신(ectopic pregnancy)의 위험인자

1. 이전 자궁외임신
2. 난관 손상 : 난관 수술(난관결찰술, 난관복원술, 난관성형술), 난관 주변의 유착(난관염)
3. 보조생식술(ART)
4. 피임실패 : Tubal sterilization, copper or progestin-releasing IUD, progestin-only contraceptives
5. 흡연

참고 Final Check 산과 395 page

33 23세 무월경 7주인 환자가 내원하였다. 내원 시 활력 징후는 정상이었으며, β-hCG 2,300 mIU/mL로 확인되었다. 2일 후 시행한 β-hCG 4,300 mIU/mL였고, 시행한 초음파가 아래와 같다면 이 환자에 대한 처치로 올바른 것을 고르시오.

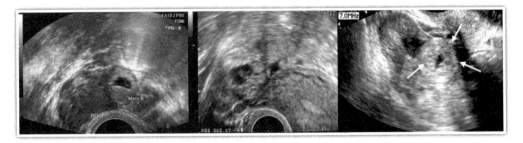

① 절대 안정을 시키면서 경과 관찰한다

② 복강경을 이용하여 수술한다

③ 고용량의 estrogen을 투여한다

④ Methotrexate를 투여한다

⑤ 다음주 내원하여 초음파 추적 관찰을 한다

33

[정답] ④

[해설] **자궁외임신의 내과적 치료 적응증**

1. 자궁외임신이 확진 되거나 강하게 의심되는 경우
2. 난관 파열이 되지 않은 경우
3. 혈역학적 안정상태(hemodynamically stable) : 혈색소 및 간과 신장 기능 정상
4. 자궁외임신낭(ectopic mass) 크기 ≤3.5 cm
5. 태아 심장박동(fetal cardiac activity)이 없는 경우

[참고] *Final Check 산과 403 page*

34 임신 16주인 32세 초산모의 사중표지물질검사(quad test)가 아래와 같다면 다음 처치로 가장 적절한 것을 고르시오.

Marker	Concentration	MoM
AFP	74.49 IU/mL	1.724 MoM
hCG	77.98 IU/mL	1.904 MoM
uE3	11.27 nmol/L	1.393 MoM
Inhibin-A	256.9 pg/mL	1.342 MoM

① 경과관찰
② 사중표지물질검사 다시 시행
③ 정밀 초음파 검사
④ 양수천자
⑤ 양수 내 AFP 측정

34

정답 ①

해설 임신 제2삼분기 사중표지물질검사(quad test)
1. AFP, hCG, uE3, inhibin-A
2. 결과
   a. 다운증후군 : AFP, uE3 감소, hCG, inhibin-A 증가
   b. 에드워드증후군 : hCG, MSAFP 감소, uE3 감소
참고 *Final Check 산과 302 page*

35 정기적인 산전 진찰을 받던 임신 17주인 28세 초산모의 사중표지물질검사(quad test)가 아래
와 같다면 다음 처치로 가장 적절한 것을 고르시오.

Marker	Concentration	MoM
AFP	126.5 IU/mL	3.6 MoM
hCG	69.9 IU/mL	1.2 MoM
uE3	9.23 nmol/L	0.9 MoM
Inhibin-A	241.3 pg/mL	1.1 MoM

① AFP 재검
② 정밀 초음파 검사
③ 제대천자
④ 임신 종결
⑤ 융모막융모생검

35

정답 ①

해설 **모체혈청 알파태아단백(MSAFP)이 2.0 MoM 이상인 경우**

1. 기본 초음파 검사(standard ultrasonography)
2. 정확한 임신 주수, 태아의 생존 여부, 태아 수 등을 확인
3. 필요 시 MSAFP 수치의 재계산

참고 *Final Check 산과 300 page*

36 임신 40주 산모의 NST이다. Montevideo unit은 얼마인가?

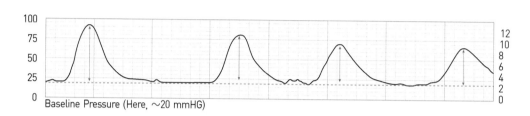

Baseline Pressure (Here, ~20 mmHG)

① 150 MVUs

② 230 MVUs

③ 310 MVUs

④ 400 MVUs

⑤ 510 MVUs

36

정답 ②

해설 **자궁수축의 강도**

1. 지표 : Montevideo unit (MVUs)

2. 자궁의 기초긴장도 수준 이상으로 증가된 자궁수축 강도의 발생을 수은주압(mmHg)으로 표시하여 10분당 나타난 자궁수축 회수를 곱한 수치로 나타낸 것

→ 75 + 60 + 50 + 45 = 230 Montevideo unit

참고 *Final Check 산과 499 page*

37

임신 34주에 시행한 NST 소견이 아래와 같다면 다음과 같은 상황을 유발할 수 있는 원인 약물을 쓰시오.(3가지)

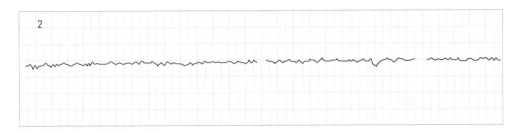

37

[정답]

1. MgSO₄
2. 진통제
3. 진정제
4. 중추신경계 기능저하제

[해설] **기초 태아 심장박동수 변이도 감소(decreased variability)**

1. 분만 중 진통제나 진정제, 중추신경계 기능저하제 투여 : 가장 흔한 원인
2. 황산마그네슘(MgSO₄) : 단기 변이도를 감소시키지만 신생아 예후에는 영향 없음
3. 단기 변이도와 장기 변이도의 감소가 함께 나타나는 기초 변이도의 감소가 진폭이 분당 5회 미만으로 나타날 때 태아의 상태는 심각한 문제가 있는 경우가 많음
4. 기초 태아 심장박동수가 증가하면 변이도 감소 : 심장박동수가 증가하면 박동 대 박동 간격이 짧아지면서 생리적인 심혈관 변화가 적어지기 때문
5. 만성태아가사(chronic fetal asphyxia) : 태아 심장박동수 감소 없이 기초 변이도가 분당 5회 미만으로 나타날 때에도 아프가 점수는 낮아짐

[참고] *Final Check 산과 484 page*

38 임신 중 NST를 일주일에 두 번 시행해야 하는 경우를 쓰시오.(4가지)

38

정답

1. 지연임신(postterm pregnancy)
2. 다태아 임신(multifetal pregnancy)
3. 임신 전 당뇨(pregestational diabetes), 제1형 당뇨(type I DM)
4. 태아성장제한(fetal growth restriction)
5. 임신성 고혈압(gestational hypertension), 전자간증(preeclampsia)

해설

참고 *Final Check 산과 355 page*

39 임신 34주인 초산모가 내원 시 시행한 NST가 아래와 같았다. 양수량 측정상 largest pocket 0.5 cm, 30분 동안 초음파 검사 시 태아의 팔과 몸통의 움직임 2회, 호흡이 30초 동안 관찰되었고, 태아의 다리가 굽어졌다가 펴지고 다시 굽어지는 동작이 1회 관찰되었다. 이 검사를 같은 날 다시 반복하여 검사를 하였으나 같은 결과를 얻었을 때 다음 처치로 올바른 것을 고르시오.

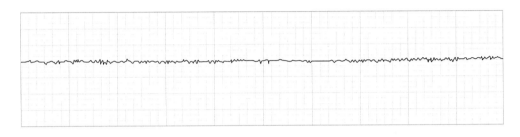

① 경과 관찰
② 1주 후 재검
③ 양수천자 후 L/S ratio를 확인
④ 즉시 분만 시행
⑤ 24시간 후 초음파 추적검사

39

[정답] ④

[해설] 생물리학계수(biophysical profile)의 판정 및 처치 권고안

생물리학계수 점수	판정	처치
10	정상, 비가사 상태	산과 처치 필요 없음, 1주 후 재검 (당뇨와 과숙임신 시는 1주에 2회)
8/10(정상 양수량) 8/8(비수축검사 안함)	정상, 비가사 상태	산과 처치 필요 없음 계획대로 검사 반복
8/10(양수과소증)	만성 태아가사 의심	분만
6	태아가사 가능성	양수량이 비정상이면 분만 양수량이 정상이면, 36주 이후이고 자궁경부가 양호하면 분만 재검 시 6 이하면 분만 재검 시 6 초과면, 관찰 및 재검
4	태아가사 가능성 높음	당일 재검하여 6 이하면 분만
0~2	태아가사 거의 확실	분만

[참고] *Final Check* 산과 358 page

40 다음과 같은 소견을 보일 수 있는 경우가 아닌 것은 무엇인가?

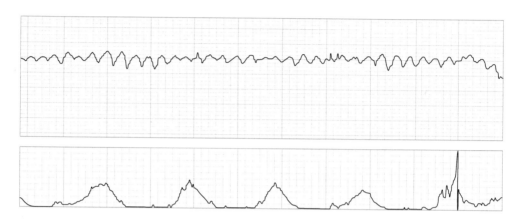

① Maternal severe anemia

② Amnionitis

③ Fetal distress

④ Morphine

⑤ MgSO₄

40

정답 ①

해설 **굴모양곡선 태아 심장박동수(sinusoidal fetal heart rates)의 원인**

1. Rh-D 동종면역(RhD-alloimmunization)
2. 전치혈관(vasa previa)의 파열
3. 심한 태아 빈혈(severe fetal anemia) : 태아-모체 출혈, 쌍둥이간 수혈
4. 약물 : meperidine, morphine, alphaprodine, butophanol
5. 양막염(amnionitis), 태아가사(fetal asphyxia), 탯줄 폐쇄(umbilical cord occlusion) 등

참고 *Final Check 산과 485 page*

41 임신 38주인 산모가 HOF 27 cm, EFW 2.3 kg, AFI 3 cm으로 확인되었고, 아래와 같은 NST 가 확인되었다. 다음 중 가장 적절한 처치를 고르시오.

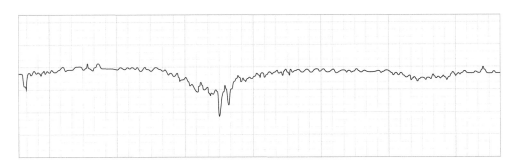

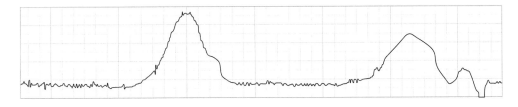

① BPP를 시행한다

② 일주일 후 다시 검사한다

③ 즉시 분만한다

④ L/S ratio를 측정하여 분만시기를 결정한다

⑤ 자궁수축억제제를 투여한다

41

정답 ③

해설 늦은 태아심장박동수감소(late deceleration)의 원인

1. 자궁태반기능저하(uteroplacental insufficiency)에 의해 발생

2. 가장 흔한 두가지 원인

  a. 경막외마취에 의한 산모의 저혈압

  b. 옥시토신 사용으로 인한 과도한 자궁수축

3. 기타 원인

  a. 만성태반기능장애를 유발할 수 있는 산모의 질환 : 고혈압, 당뇨, 교원성질환 등

  b. 태반조기박리(placental abruption)

참고 *Final Check 산과 488 page*

42 임신 31주 산모에서 시행한 umbilical artery doppler 소견이 아래와 같았다. 이 환자에 대한 설명으로 옳은 것을 고르시오.

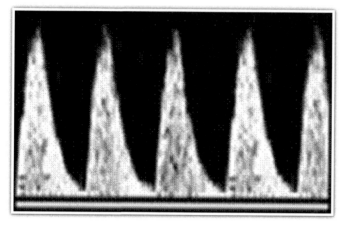

① 정상 소견이다

② 산모가 고혈압이 있다

③ S/D ratio는 정상이다

④ 잘 조절되는 당뇨가 있다

⑤ 태아 체중 증가가 예상된다

42

정답 ②

해설 탯줄동맥의 이완기 혈류가 없거나(absent) 또는 역류(reversed)

1. 태반융모(placental villi)의 혈관형성 저하로 인해 발생
2. 태아성장제한의 심한 경우에 나타남

참고 *Final Check 산과 360 page*

43 임신 32주 산모의 초음파상 태아 예상 체중이 1,200 g으로 확인되었다. Umbilical doppler를 시행한 결과 아래와 같았다면 이 환자의 상태로 적절한 것을 고르시오.

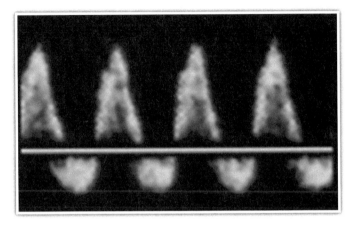

① Normal

② Utero-placental insufficiency

③ Placental abruption

④ IUGR

⑤ Hydramnios

43

정답 ②

해설 탯줄동맥의 이완기 혈류가 없거나(absent) 또는 역류(reversed)
1. 태반융모(placental villi)의 혈관형성 저하로 인해 발생
2. 태아성장제한의 심한 경우에 나타남
참고 *Final Check 산과 360 page*

44 임신 32주 산모가 초음파를 시행하였다. 태아의 예상 체중은 1,200 g, 도플러 검사와 NST 검사가 아래와 같았다. 내진상 자궁경부는 닫혀 있었고, 숙화되지 않았다면 이 산모에게 가장 적절한 처치를 고르시오.

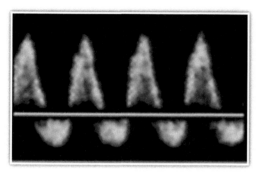 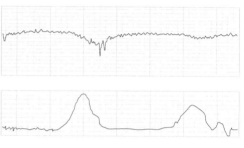

① 양수 검사
② BPP 확인
③ 1주 후 경과 관찰
④ 옥시토신 투여
⑤ 응급 제왕절개술

44

정답 ⑤

해설 생물리학계수(biophysical profile)의 판정 및 처치 권고안

생물리학계수 점수	판정	처치
10	정상, 비가사 상태	산과 처치 필요 없음, 1주 후 재검 (당뇨와 과숙임신 시는 1주에 2회)
8/10(정상 양수량) 8/8(비수축검사 안함)	정상, 비가사 상태	산과 처치 필요 없음 계획대로 검사 반복
8/10(양수과소증)	만성 태아가사 의심	분만
6	태아가사 가능성	양수량이 비정상이면 분만 양수량이 정상이면, 36주 이후이고 자궁경부가 양호하면 분만 재검 시 6 이하면 분만 재검 시 6 초과면, 관찰 및 재검
4	태아가사 가능성 높음	당일 재검하여 6 이하면 분만
0~2	태아가사 거의 확실	분만

참고 *Final Check 산과 493 page*

45 임신 39주의 임신부가 진통 중이다. 내진상 자궁경부는 5 cm 정도 개대되어 있었다. 다음은 이 임신부의 NST 소견이다. 다음의 처치로 맞는 것은 무엇인가?

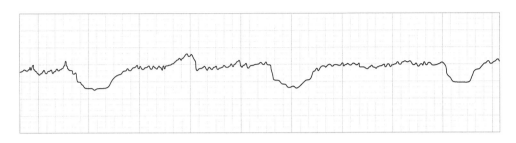

① 내진 후 관찰
② 태아 음향자극 검사
③ 태아두피 산성도 측정
④ 양수 주입술
⑤ 제왕절개

45

정답 ①

해설 **이른 태아심장박동수감소(early deceleration)의 처치**
1. 내진을 시행하여 자궁경부의 상태, 선진부, 탯줄 탈출 여부를 확인
2. 산모를 옆으로 누인 뒤 감시 시행
3. Atropine 투여(vagus nerve 차단)
4. 심한 경우, 특히 양수나 태변으로 착색된 경우에는 태아두피혈액 pH 측정

참고 *Final Check 산과 487 page*

46 임신 32주 산모가 다음과 같은 NST 소견을 보일 때 즉시 분만을 해야 하는 상황을 쓰시오.

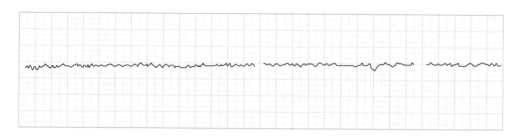

46

정답

1. **Recurrent late decelerations**
2. **Recurrent variable decelerations**
3. **Bradycardia**

해설 **태아 심장박동 Category III : 비정상(Abnormal)**

1. 무변이도(absent baseline FHR)를 보이면서 다음 중 어느 하나에 해당하는 경우
   a. 반복적인 늦은 태아심장박동수감소(recurrent late decelerations)
   b. 반복적인 다양성 태아심장박동수감소(recurrent variable decelerations)
   c. 태아 서맥(bradycardia)
2. 굴모양곡선 양상(sinusoidal pattern)을 보이는 경우

참고 *Final Check 산과 497 page*

47 임신 40주인 30세 다분만부가 분만진통 시작 후 6시간이 경과하였다. 내진 소견상 자궁경부는 10 cm 개대, station 0 이었고, 선진부는 두위였다. 자궁 수축은 70 mmHg 정도로 10분에 3~4회 있었다. 2시간 이후 내진상 station의 변화가 없을 때 다음으로 시행할 조치는 무엇인가?

① Oxytocin 정맥 주사 점적 속도를 높인다
② 면밀히 모니터링 하면서 진행 상황을 관찰한다
③ 제왕절개를 시행한다
④ PGE₂를 삽입하여 자궁경부를 숙화시킨다
⑤ Hydration 시키면서 진행을 서서히 한다

47

정답 ③

해설 **Failure of descent**
1. Evaluate for CPD
   a. CPD : cesarean delivery
   b. No CPD : oxytocin
2. 2시간 동안 적절한 수축에도 진행되지 않으므로 제왕절개 시행
참고 *Final Check 산과 463 page*

48 27세 초산모가 임신 38주에 진통이 생겨 입원하였다. 내원 시 자궁경부는 1.5 cm 개대, 50% 소실되어 있었고, 아두-골반 불균형은 없었다. 규칙적인 진통이 지속적으로 있었고 자궁 수축은 300 Montevideo unit이었다. labor curve는 아래 그림과 같았다면 이 산모의 다음 처치로 가장 적절한 것을 고르시오.

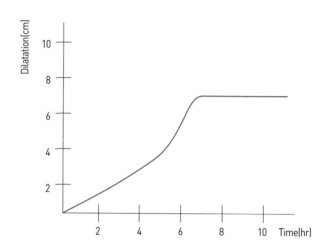

① 경과 관찰
② Meperidine과 promethazine을 투여한다
③ 흡인 분만을 시도한다
④ 응급 제왕절개술을 시행한다
⑤ Oxytocin을 투여한다

48

정답 ⑤

해설 정지장애(arrest disorders)의 치료
1. Evaluate for CPD
   a. CPD : cesarean delivery
   b. No CPD : oxytocin
2. Rest if exhausted cesarean delivery

참고 *Final Check 산과 463 page*

49 41주 초산모가 유도분만을 위해 내원하였다. Prostaglandin 질좌제를 이용하여 유도분만을 시행하였고, 2시간 후부터 환자는 통증을 호소하였다. 이 산모의 다음 처치로 가장 적절한 것을 고르시오.

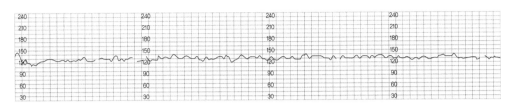

13:20 20 OCT 09 US IUP

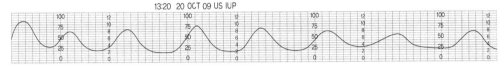

① 경과 관찰
② 초음파 검사
③ 질좌제 제거
④ 경막외 마취
⑤ 제왕절개 분만

49

정답 ③

해설 Prostaglandin E$_2$(PGE$_2$)의 부작용
1. 자궁의 빈수축(uterine tachysystole)
2. 자궁수축과 태아 심장박동을 지속적으로 관찰할 수 있는 분만실에서 사용

참고 *Final Check 산과 522 page*

50 다음과 같은 처치에서 마취제가 들어가야하는 올바른 부위를 쓰시오.

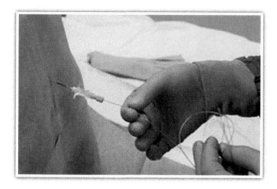

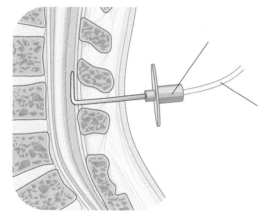

50

Epidural space

해설 **경막외마취(Epidural anesthesia)**

1. 요추부 경막외마취(lumbar epidural analgesia) : 무통분만의 대표적이고 고전적인 방법
2. 장점
   a. 산모의 혈중 카테콜아민(catecholamine) 농도를 감소시켜 탯줄의 혈류량이 증가
   b. 통증으로 인한 산모의 과호흡–저호흡의 악순환을 완화
   c. 심장병의 과거력, 전자간증, 고혈압 등이 있는 임산부의 합병증 감소
   d. 질식분만을 시도하다가 제왕절개술로 이행 시 수술을 위한 마취 방법으로 사용 가능

참고 *Final Check 산과 514 page*

51 다음과 같은 처치의 흔한 합병증은 무엇인가?

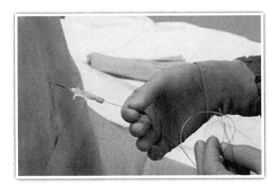

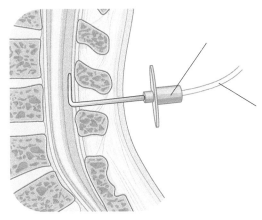

① Maternal convulsion

② Maternal hypotension

③ Chorioamnionitis

④ Headache

⑤ Fever

51

정답 ②

해설 **경막외마취(Epidural anesthesia)의 합병증**

1. 저혈압(hypotension) : 가장 흔한 합병증

2. 효과적이지 못한 통증조절

3. 마취부위가 높거나 전척추마취

4. 기타 : 산모의 발열, 허리 통증 등

참고 *Final Check 산과 515 page*

52 다음 사진과 같은 처치 후 발생한 두통에 대한 처치로 가장 적절한 것을 고르시오.

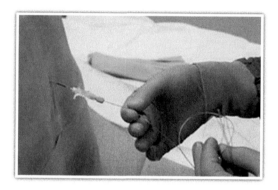

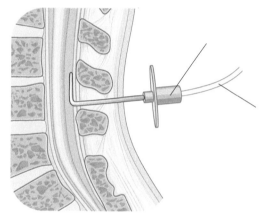

① Observation

② Bed rest

③ NSAIDs

④ Blood patch

⑤ MRI

52

정답 ④

해설 **경막천자 후 두통(Postdural puncture headache, PDPH)**

1. 원인 : 천자된 경막을 통해 뇌척수액이 흘러나오고, 이로 인해 뇌압이 감소되면 통증에 민감한 조직과 뇌 기관이 자극되어 전두부와 후두부에 통증을 유발

2. 대처 방법
   a. 일차적 보존요법 : 진통제, 수액공급 및 침상안정 등을 24시간 실시
   b. 경막외 혈액봉합술(epidural blood patch, EBP) : 보존요법이 효과 없을 경우 시행

참고 *Final Check 산과 513 page*

53 임신 32주에 조산한 과거력 있는 임신 20주 산모가 내원하여 시행한 초음파가 다음과 같다 (Cervix length = 35 mm). 이 산모의 다음 처치로 가장 적절한 것을 고르시오.

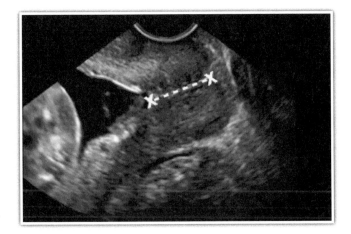

① 경과관찰

② 일주일 후 재검

③ 양수 주입술

④ Progesterone 질정

⑤ 응급 자궁경부 원형결찰술

53

[정답] ④

[해설] **예방적 프로게스테론**

1. 17-α hydroxyprogesterone caproate (17-OHP-C)
   a. 단태아 임신 중 일부 여성에서 조산 예방을 위해 사용(ACOG, 2016)
   b. 250 mg, 1회/wks, 근육주사
   c. 적응증 : 조산의 과거력, 초음파상 자궁경부 길이가 짧은 경우
   d. 다태아 임신에서는 조산의 예방 효과 없음
2. 프로게스테론 질정(vaginal progesterone)
   a. 천연 프로게스테론 100 mg 질정
   b. 최근 재발성 조산 예방을 위해 17-OHP-C가 더 효과적임을 확인

[참고] *Final Check 산과 728 page*

54 평소 특이 증상이 없었던 임신 33주 산모의 질 초음파상 다음과 같은 소견이 관찰되었다면 이 산모의 진단명을 쓰시오.

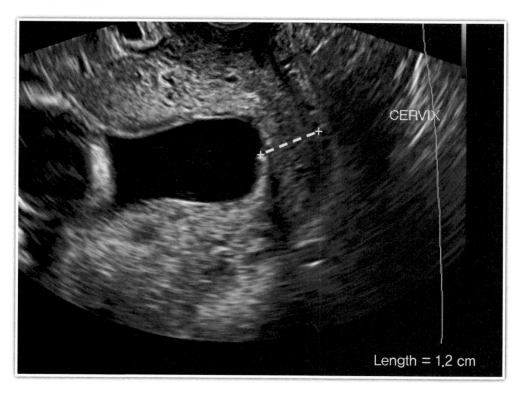

54

정답 자궁경부부전증(cervical insufficiency)

해설 **자궁경부부전증(Cervical insufficiency)**
1. 임신 제2삼분기에 진통없이 자궁경부가 개대 및 소실되는 상태
2. 같은 명칭 : 자궁경부무력증(cervical incompetence), incompetent int. os of cervix (IIOC)
참고 *Final Check 산과 376 page*

55 다음은 임신 23주 여성에게 실시한 질 초음파이다. 가장 적절한 처치를 고르시오.

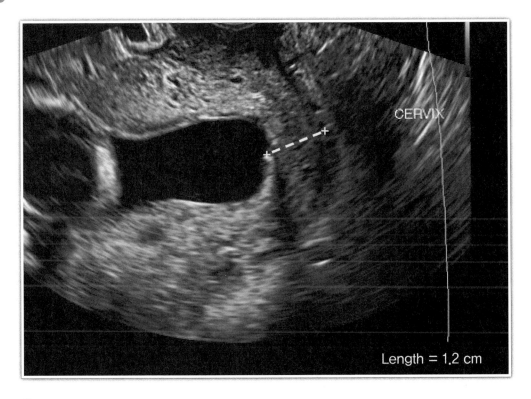

① Observation

② Termination

③ Cesarean section

④ Cerclage

⑤ Antibiotics

55

정답 ④

해설 질식 자궁경부원형결찰술(Vaginal cerclage)

1. 산과력에 근거한 원형결찰술(history-indicated cerclage) : 과거 산과력에서 3회 이상의 조기 조산 또는 임신 제2삼분기 유산의 병력이 있는 경우 임신 12~14주 사이에 시행

2. 자궁경부길이에 근거한 원형결찰술(ultrasound-indicated cerclage) : 자연조산 과거력이 있는 단태아 임신부에서 임신 24주 이전에 자궁경부 길이가 짧아졌을 때(25 mm 미만) 시행

3. 이학적 검사에 근거한 원형결찰술(physical examination-indicated cerclage) : 골반 내진 또는 질경 검사에서 자궁경부 개대가 발생하거나 양막의 질 내 돌출이 있는 경우 시행

참고 *Final Check 산과 381 page*

56 다음과 같은 수기법을 시행해야 하는 경우를 쓰시오.

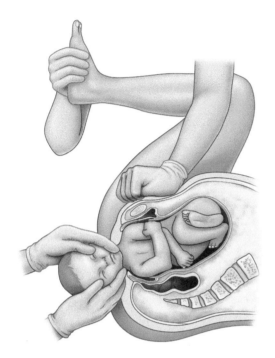

56

정답 Shoulder dystocia

해설 McRoberts 수기법(McRoberts maneuver)

1. 산모의 다리를 발걸이에서 풀어서 환자의 배에 닿게 구부리고 보조자는 치골상부에 적당한 압력을 가하는 방법
2. 견갑난산 시 맨 먼저 시도할 수 있는 타당한 방법(ACOG, 2017)
3. 엉치뼈(sacrum)가 허리뼈(lumbar vertebrae)에 대해 편평해지고 치골이 산모의 머리 쪽으로 회전하여 골반 경사각(pelvic inclination)이 감소
4. 골반의 용적을 증가시키지 못하지만 골반에 두위가 회전함으로써 꽉 끼인 앞쪽 어깨를 풀어줄 수 있음

참고 *Final Check 산과 535 page*

57 분만 도중 견갑난산이 발생하여 다음과 같은 처치를 시행하였으나 분만이 되지 않을 때 시행할 수 있는 다른 방법이 아닌 것을 고르시오.

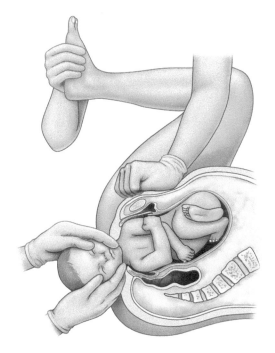

① Woods corkscrew maneuver

② Second Rubin maneuver

③ Mauriceau maneuver

④ Cleidotomy

⑤ All-fours maneuver

57

[정답] ③

[해설] **견갑난산 시 시도해 볼 수 있는 방법**
1. 치골상부 압박(suprapubic pressure)
2. McRoberts 수기법(McRoberts maneuver)
3. 뒤쪽 어깨 분만법(delivery of posterior shoulder)
4. Woods 나사 수기법(Woods corkscrew maneuver)
5. Rubin 수기법(Rubin maneuver)
6. 올포 수기법(all-fours maneuver, Gaskin maneuver)
7. 모든 시도가 실패한 후에 해볼 수 있는 방법
    a. 뒤쪽 겨드랑이 견인(posterior axilla sling traction)
    b. 태아의 전방 쇄골 고의 골절(fracture of the anterior clavicle)
    c. Zavanelli 수기법(Zavanelli maneuver)
    d. 치골결합절개술(symphysiotomy)
    e. 쇄골절단술(cleidotomy)

[참고] *Final Check 산과 535 page*

58 다음과 같은 술기의 이름은 무엇인가?

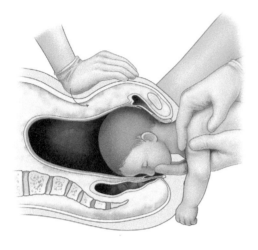 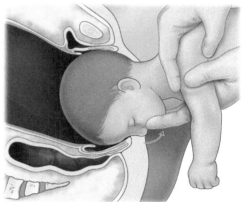

① McRobert maneuver

② Mauriceau maneuver

③ Woods maneuver

④ Pinard maneuver

⑤ Zavanelli maneuver

58

정답 ②

해설 **Mauriceau 수기법(Mauriceau maneuver)**
1. 태아 몸을 시술자의 한쪽 손바닥과 팔 위에 얹어 받치면서 태아의 다리 사이에 있게 하고 태아의 몸은 수평을 유지
2. 손가락의 검지와 중지로 상악골을 눌러 상방 및 전방으로 압력을 가하면서 머리를 굴곡 시킴
3. 반대편 손의 두 손가락으로 태아의 목에 걸어서 어깨를 잡아 하후두부가 치골 아래에 나타날 때까지 견인
4. 보조자는 치골상부를 적당히 눌러 주어 머리가 지속적으로 굴곡 되도록 유지

참고 *Final Check 산과 553 page*

59

임신 29주 산모가 호흡곤란을 주소로 내원하였다. 초음파 소견이 다음과 같다면 이 산모에게 가장 적절한 처치를 고르시오.

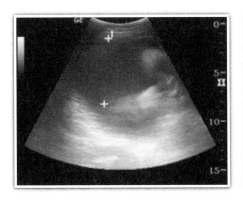 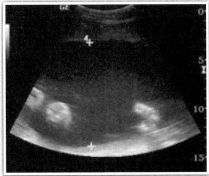

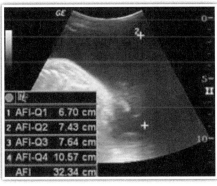 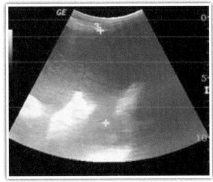

① 경과관찰 ② 리토드린 ③ 양수천자

④ 프로게스테론 ⑤ 스테로이드

59

정답 ③

해설 **양수과다증(hydramnios)의 치료**

1. 치료 원칙
   a. 심하지 않으면 치료는 필요 없음
   b. 호흡곤란, 복통이 심하거나 걷기가 어려울 때에는 입원을 시키지만 양수를 약간씩 제거하는 것 이외에는 별다른 치료가 없음
2. 치료 방법
   a. 양수천자(amniocentesis)
   b. 양막파수(rupture of membranes)
   c. 인도메타신(indomethacin)

참고 *Final Check 산과 240 page*

60 임신 36주 초산모가 내원하였다. 검사상 혈압 120/80 mmHg, proteinuria (−), glucosuria(−) 로 나왔다. 이 산모의 초음파가 아래와 같다면 향후 예상되는 합병증이 아닌 것을 고르시오.

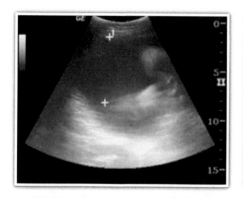
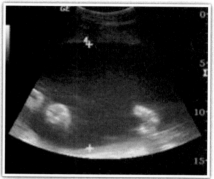
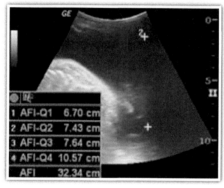
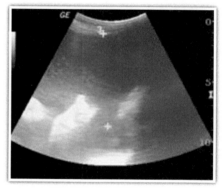

① Abnormal fetal presentation   ② Potter syndrome

③ Placental abruption   ④ Preterm labor

⑤ Meconium aspiration

60

정답 ②

해설 양수과다증의 합병증

태아의 합병증	산모의 합병증
− 태아 기형 및 염색체 이상, 주산기 사망 − 조산(preterm birth) − 거대아(macrosomia), 자궁 내 태아성장제한(IUGR) − 비정상 태위(malpresentation), 탯줄 탈출(cord prolapse)	− 호흡곤란(dyspnea) − 비정상 태위에 의한 수술적 분만의 위험 증가 − 조기양막파수(PROM), 태반조기박리(placental abruption) − 자궁기능장애, 자궁이완증(uterine atony) − 산후 출혈(postpartum hemorrhage)

참고 Final Check 산과 239 page

61 임신 26주 다분만부가 개인 병원에서 태반이 자궁의 입구 쪽에 위치하고 있다는 이야기를 듣고 내원하였다. 시행한 복부 초음파가 아래와 같은 소견이었다면 가장 적절한 다음 처치를 쓰시오.

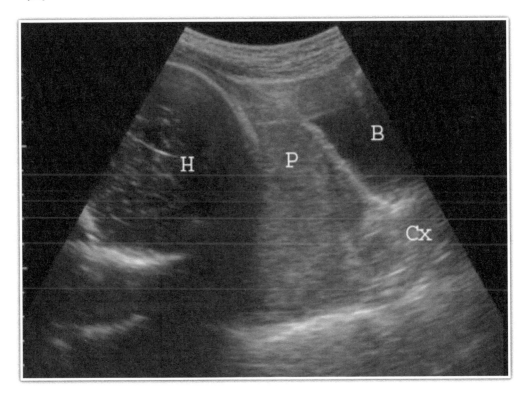

61

정답 소변을 보게 하여 방광을 비운 후 초음파 다시 시행

해설 **전치태반 위양성을 일으킬 수 있는 경우**

1. 임산부의 자세 또는 방광의 과도한 팽창
2. 자궁이 수축한 경우
3. 태반 압박이 있는 경우

참고 *Final Check 산과 687 page*

62 임신 30주 여성이 통증 없이 발생한 질 출혈을 주소로 내원하였다. 혈압 100/60 mmHg, 심박수 116회/min.로 확인되었고, NST상 불규칙한 자궁수축이 관찰되었다. 현재 출혈은 멈췄고, 초음파 소견이 아래와 같다면 이 환자의 치료로 적절한 것을 고르시오.

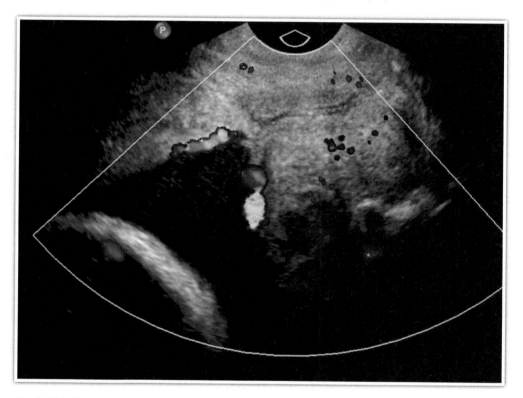

① 안심시키고 귀가하여 경과관찰
② 입원하여 경과관찰
③ 자궁경부 원형결찰술 시행
④ 유도분만 시행
⑤ 응급 제왕절개술 시행

62

정답 ②

해설 태반의 이동(Placental migration)

1. 임신 후반으로 갈수록 자궁저부의 혈액순환이 증가하여 태반이 자궁저부 쪽을 향해 자라고 영양공급이 상대적으로 적은 자궁하부의 태반은 영양결핍으로 인해 퇴화 및 위축
2. 임신 후반으로 갈수록 자궁하부가 팽창되어 태반과 자궁내구의 거리가 멀어짐
3. 임신 초기에 진단된 하위태반의 90%는 임신 3분기에 소실

참고 Final Check 산과 686 page

63 임신 35주 산모의 초음파 소견이 다음과 같다면 가장 가능성이 높은 진단명을 고르시오.

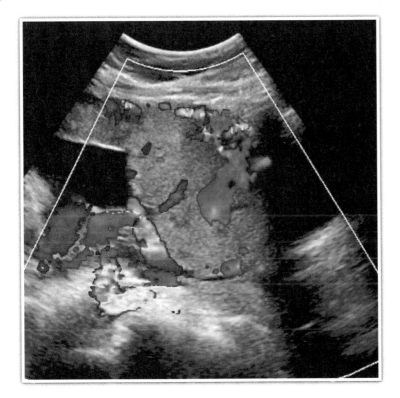

① 태반 혈관종

② 전치혈관

③ 유착태반

④ 태반 박리

⑤ 자궁 파열

63

정답 ③

해설 **병적인 태반유착 상태(Morbidly adherent placenta)**

1. 유착태반(placenta accreta) : 태반 융모가 자궁근층에 붙어있는 경우
2. 감입태반(placenta increta) : 태반 융모가 자궁근층을 침입한 경우
3. 천공태반(placenta percreta) : 태반 융모가 자궁근층을 천공한 경우

참고 *Final Check 산과 702 page*

64 다음은 임신 39주 산모의 초음파 소견이 아래와 같다면 다음 처치로 가장 적절한 것을 고르시오.

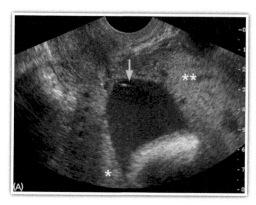
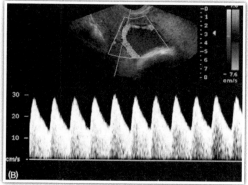

① 양수주입술

② 자궁수축억제제

③ 자궁경부 원형결찰술

④ 유도분만

⑤ 제왕절개 분만

64

정답 ⑤

해설 **전치혈관(Vasa previa)의 처치**

1. 전치혈관 산모의 약 1/4에서 조산
   a. 임신 28~32주 사이에 필요에 따라 산전 스테로이드 투여를 고려
   b. 상황에 따라 임신 30~34주 사이에 입원하여 경과관찰도 가능
2. 무증상 전치혈관 산모의 제왕절개 시행 시기 : 임신 34~37주경 시행을 권장
3. 응급 제왕절개분만이 필요한 경우
   a. 진통과 동반되어 반복적으로 나타나는 태아 서맥
   b. 양막파열과 동시에 발생한 다량의 질 출혈

참고 *Final Check 산과 689 page*

65 임신 39주 산모가 제왕절개술을 하면서 태반이 완전히 박리되지 않았다. 산모의 수술 전 초음파는 아래와 같았고, 수술 후 환자의 혈압이 80/50 mmHg로 감소하고 심박수 110회/min.으로 확인되고 있다면 가장 올바른 처치를 고르시오.

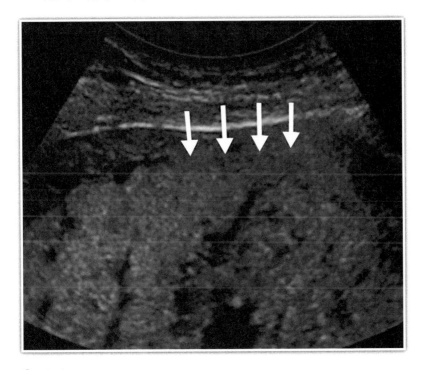

① Bleeding site suture

② Hysterectomy

③ Heparin 투여

④ Gauze packing

⑤ Ergot derivatives 투여

65

정답 ②

해설 산후 출혈

1. 자궁하부는 수축력이 약해 태반착상부위에서 출혈을 많이 할 가능성이 있음
2. 유착태반(placenta accreta)이 동반된 경우
   a. 과다 출혈 가능성 증가
   b. 이전 자궁절개 부위 앞에 태반이 위치한 경우 유착태반 및 자궁절제술 가능성 증가
3. 산모의 활력 징후가 불안정하다면 즉시 자궁절제술 시행

참고 *Final Check 산과 688 page*

66 임신 39주 산모가 다음과 같은 소견으로 응급 제왕절개술을 시행하였다. 이 산모의 진단명은 무엇인가?

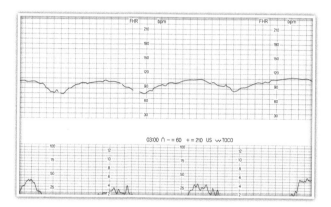

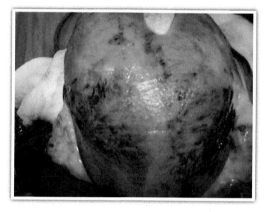

① 태반조기박리
② 자궁 파열
③ 전치태반
④ 자궁동맥 기형
⑤ 태반 내 감염

66

정답 ①

해설 태반조기박리(placenta abruption)의 임상소견
1. 가장 흔한 증상 : 질 출혈, 자궁의 압통, 허리통증, 자궁의 빈번한 수축, 지속적 긴장 항진
2. 안심할 수 없는 태아 상태(nonreassuring fetal status)
3. 저혈량 쇼크(hypovolemic shock)
4. 소모성 혈액응고장애(consumptive coagulopathy)
5. 자궁태반졸증(uteroplacental apoplexy, Couvelaire uterus)
참고 *Final Check 산과 681 page*

67 Preeclampsia로 입원 치료 중이던 33주 산모가 아침부터 복통과 질 출혈이 발생하였고 지속적인 자궁수축을 보이고 있다. 시행한 초음파와 NST 소견이 아래와 같다면 다음 처치로 가장 적절한 것을 고르시오.

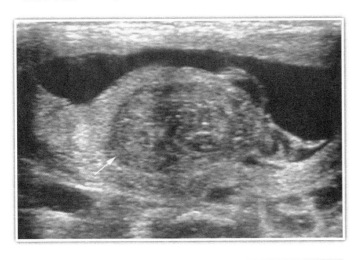

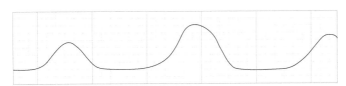

67

정답 응급 제왕절개술

해설 태반조기박리(placental abruption)의 치료

임신연장요법 (Expectant management)	제왕절개분만 (Cesarean delivery)	질식분만 (Vaginal delivery)
태아가 미숙한 경우에만 시행 1. 태아 이상을 보이는 심장박동 양상의 증거가 없음 　- 지속적인 서맥 　- 심한 심장박동수 감소 　- 굴모양곡선(sinusoidal) 심장박동수 2. 임산부의 활력징후가 안정적이면서 출혈이 적음	소생 가능한 주수의 태아 질식분만이 임박하지 않은 경우 준비 안 된(unfavorable) 자궁경부 질식분만의 금기증 수술적 분만을 요하는 산과적 합병증	태아 사망 소생 불가능한 임신 주수

참고 *Final Check 산과 684 page*

68 다음 초음파 소견에 대한 설명으로 옳지 않은 것을 고르시오.

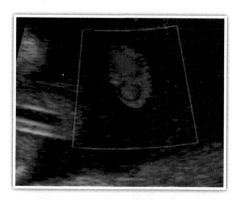

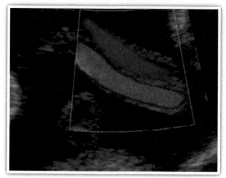

① 다른 동반 기형을 초래할 수 있다

② Postterm pregnancy에서 많다

③ 동반된 이상이 없을 경우 이수성(aneuploidy)을 증가시키지 않는다

④ 당뇨와 연관이 있다

⑤ 쌍태아에서 발견 빈도가 높다

68

정답 ②

해설 단일 탯줄 동맥(Single umbilical artery, SUA)

1. 탯줄 동맥 1개, 탯줄 정맥 1개로만 구성
2. 빈도
   a. 출생아의 0.63%, 주산기 사망의 1.92%, 쌍태아 임신의 3%에서 발견
   b. 당뇨병, 간질, 임신중독증, 산전 출혈, 양수과다증, 양수과소증, 염색체 이상에서 증가
3. 심장을 포함한 태아 장기에 대해 초음파 검사를 시행
   a. 흔한 동반기형 부위 : 심혈관계(cardiovascular), 비뇨생식기계(genitourinary)
   b. 동반기형이 없는 경우 : 예후가 좋음
   c. 동반기형이 있는 경우 : 이수성(aneuploidy) 위험이 증가하므로 양수천자 시행

참고 Final Check 산과 93 page

69 임신 40주 다분만부가 양수천자(amniotomy) 후 다음과 같은 초음파 소견을 나타낼 때 가장 가능성이 높은 진단명을 쓰시오.

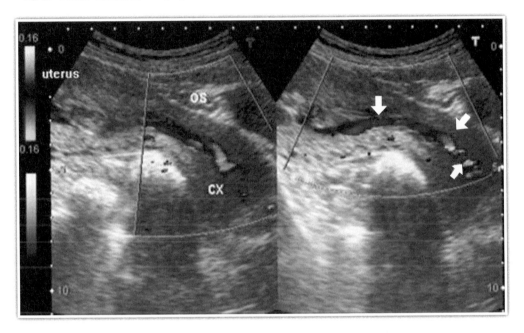

69

정답 탯줄 탈출(Cord prolapse)

해설 탯줄 탈출(Cord prolapse)의 초음파 소견
1. 탯줄(umbilical cord)이 cervical canal, lower uterine segment에서 관찰
2. 색 도플러(color doppler)가 확진에 유용

참고 *Final Check 산과 233 page*

70

다음과 사진과 같은 태반에 대한 설명으로 옳은 것을 모두 고르시오.

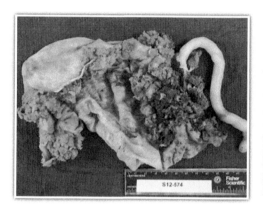 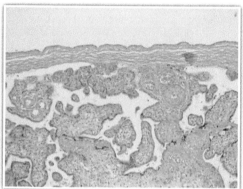

(가) 분만 시 태반이 잘 떨어지지 않는다

(나) 모든 fetal membrane이 functioning villi로 덮여 있다

(다) 넓은 범위에 implantation된 경우 자궁절제술 가능성이 있다

(라) 흔히 산전 초음파로 진단된다

① 가, 나, 다

② 가, 다

③ 나, 라

④ 라

⑤ 가, 나, 다, 라

70

정답 ⑤

해설 **막태반(Placenta membranacea)**

1. 태아막에 융모가 존재하며, 막태반이 가늘고 깊게 착상되어 있는 태반 이상의 드문 형태

2. 전치태반이나 유착태반과 동반되어 심각한 출혈을 일으킬 수 있음

　a. 분만 시 태반이 잘 떨어지지 않을 수 있음

　b. 넓은 범위에 착상된 경우 자궁절제술 가능성이 있음

3. 산전 초음파로 진단 가능

참고 *Final Check 산과 534 page*

71

다음 사진과 같은 prominent infraorbital fold를 나타낼 수 있는 원인을 쓰시오.

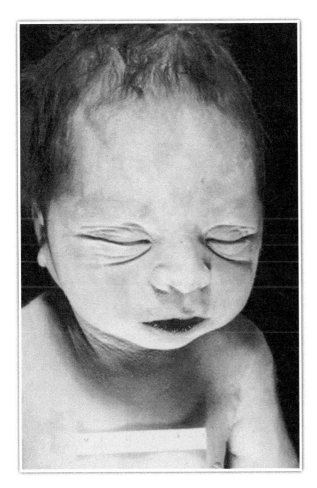

71

정답 양수과소증(oligohydramnios)

해설 포터증후군(Potter sequence)

1. 여러 원인에 의해 심한 양수과소증이 발생하고 이차적으로 태아가 압박을 당하여 여러 기형이 나타나는 것
2. 특징
   a. 폐형성저하증(pulmonary hypoplasia)
   b. 안면 이상(납작한 코, 낮게 위치한 귀, 들어간 턱, 두드러진 눈밑 주름, 넓은 눈 간격)
   c. 사지 형태의 이상(사지 구축, clubbed hands and feet)
   d. VACTERL association 확인이 필요
3. 초음파 소견
   a. 양수과소증(oligohydramnios)
   b. 신장 무형성(renal agenesis)

참고 *Final Check 산과 189 page*

72 만삭의 초산모가 12시간 진통 후 자연분만을 하였다. 전자태아감시 소견과 태아의 출생 시 사진이 아래와 같다면 이 태아에게 가장 적절한 조치를 고르시오.

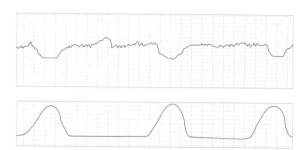

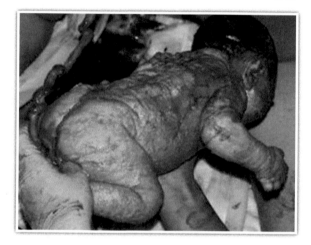

① 구강 내 이물질을 제거한다

② 머리를 위로 올린다

③ 기도삽관을 시행한다

④ 즉시 양압 환기를 시행한다

⑤ 즉시 nitric oxide를 투여한다

72

정답 ①

해설 태변흡입증후군(Meconium aspiration syndrome)의 처치

1. 양수 내 태변 착색이 있었던 경우 출생 후 신생아가 쳐져 있는 경우에만 분만 직후 기도 삽관을 통하여 기도 내 이물질을 흡인할 것을 권장

2. 신생아가 활발한 경우에는 기도삽관을 통한 흡인이 필요하지 않고 구강과 비강에 있는 이물질만 bulb syringe 또는 large bore suction catheter를 이용하여 제거

3. 직접 기도흡인이 필요했던 신생아는 증상에 따라 산소 공급, 기계적 환기요법 등을 시행하고 기타 보존적인 치료를 시행

4. 지속적인 신생아 지속성 폐고혈압이 동반되는 경우 NO (nitric oxide) 흡인 치료 시행

참고 *Final Check* 산과 598 page

73 임신 25주 산모의 초음파 영상에서 태아의 흉부 소견이 다음과 같았다. 가장 가능성이 높은 진단명을 고르시오.

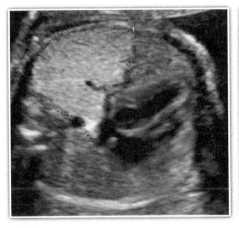 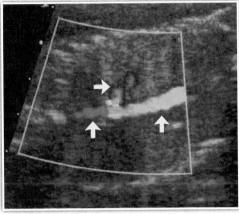

① 폐림프종

② 폐분리증

③ 선천성 낭성샘모양기형

④ 선천성 횡격막탈출증

⑤ 선천성 기도폐쇄증

73

정답 ②

해설 **폐분리증(Pulmonary sequestration)**

1. 엽 모양이나 삼각형의 경계가 잘 구분되는 균질한 에코의 종괴
2. 주로 좌측(90%) 폐의 하부와 횡격막 사이(supradiaphragmatic)에서 발생
3. 대동맥(aorta)에서 종괴로 유입되는 공급혈관(feeding vessels)이 중요한 소견
4. 기타 : pleural effusion, mediastinal shift, hydrops, polyhydramnios, diaphragmatic hernia

참고 *Final Check 산과 187 page*

74 임신 34주에 시행한 초음파가 다음과 같은 소견을 보이고, karyotyping 정상, 다른 기형은 없다면 이 태아의 생후 수술적 교정 뒤 가장 중요한 예후인자는 무엇인가?

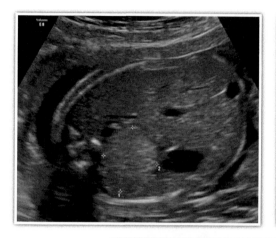
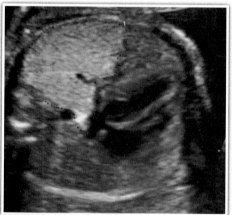
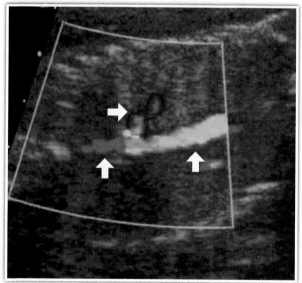

74

정답 Tension hydrothorax

해설 폐분리증(Pulmonary sequestration)의 예후

1. 산전 진단된 경우 약 50~75% 정도는 임신 중 자연적으로 크기가 줄어들어 예후는 좋은 편

2. Tension hydrothorax : 가장 중요한 예후인자

   a. Leakage from ectatic lymphatics

   b. Torsion of sequestered segment

   c. May progress to generalized hydrops from cardiovascular compression

3. 태아수종(hydrops)을 동반하는 경우 예후가 나쁨

참고 *Final Check 산과 188 page*

75 임신 32주 산모가 호흡곤란을 주소로 내원하였다. 혈압 160/110 mmHg, 흉부 X-ray에서 폐부종(pulmonary edema)이 관찰되었다. 초음파상 태아의 예상체중은 10 percentile 미만, AFI 5 cm으로 확인되었다. NST가 아래와 같다면 이 산모의 다음 처치로 가장 적절한 것을 고르시오.

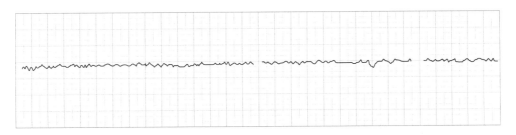

① MgSO$_4$

② Diuretics

③ 분만

④ 경과관찰

⑤ Hydralazine

75

정답 ③

해설 임신연장요법을 시행중인 임신 34주 이전 전자간증 산모의 분만 적응증

태아 폐성숙을 위한 corticosteroid 투여 + 임신부의 상태 안정화 후 분만	태아 폐성숙을 위한 corticosteroid 투여 + 가능하면 48시간 지연 후 분만
조절되지 않는 심한 고혈압 자간증 폐부종 태반조기박리 소모성 혈액응고장애(DIC) 안심할 수 없는 태아 상태 태아 사망	조기양막파수 or 조기진통 혈소판감소증 <100,000/μL 간수치가 정상의 두 배 이상 상승 태아성장제한(fetal growth restriction) 양수과소증 탯줄동맥 이완기말혈류역전(reversed end-diastolic flow) 신장 기능 저하의 악화

참고 *Final Check 산과 667 page*

76 임신 36주 산모가 severe preeclampsia로 진단받고 응급 제왕절개술을 시행 받았다. 수술 후 산모는 호흡곤란을 호소하였고, 혈압 160/100 mmHg, 호흡수 126회/min., 산소 포화도 80%로 확인되었다. 심장 초음파상 LV dilatation, LVEF 25%로 확인되었고, 흉부 X-ray는 아래와 같았다. 이 환자의 진단명으로 가장 가능성이 높은 것을 고르시오.

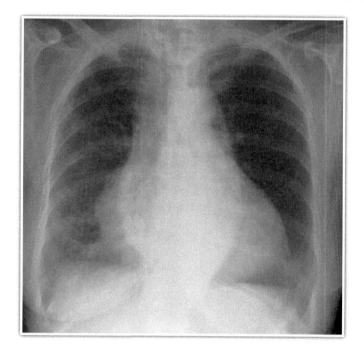

① Amniotic fluid embolism

② Pulmonary embolism

③ Pulmonary hypertension

④ Dilated cardiomyopathy

⑤ Endocarditis

76

정답 ④

해설 전자간증의 심장에 대한 영향
1. Chronic hypertension
2. Ischemic heart disease
3. Atherosclerosis
4. Coronary artery calcification
5. Cardiomyopathy
6. Thromboembolism

참고 *Final Check 산과 674 page*

77 산모가 제왕절개 분만 5일 후부터 발생한 복부 통증 및 발열을 주소로 내원하였다. 시행한 CT가 다음과 같다면 가장 가능성이 높은 진단명을 고르시오

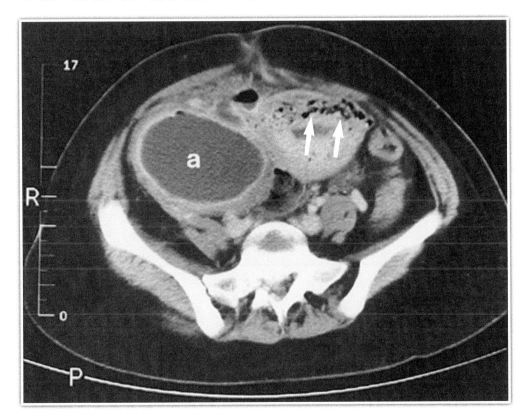

① 자궁내막염
② 괴사성 근막염
③ 패혈성 혈전정맥염
④ 골반-부속기 농양
⑤ 자궁주위 연조직염

77

정답 ④

해설 **골반 농양(Pelvic abscess)**

1. 항생제 치료에도 자궁주위조직 광범위연조직염(parametrial phlegmon)이 화농되어 서혜부인대(inguinal ligament) 상부에서 광인대 덩이(broad ligament mass)를 만든 경우
2. 복강 내로 농양이 파열되면 치명적 복막염이 발생

참고 *Final Check 산과 647 page*

78 산욕기에 열이 나는 산모가 내원하였다. 시행한 CT가 다음과 같을 때 이 환자에게 가장 적절한 처치를 고르시오.

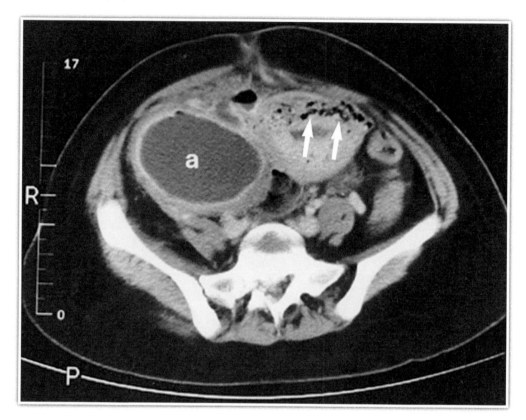

① Needle aspiration

② Antibiotics

③ Heparin

④ Explo-laparotomy

78

정답 ①

해설 골반 농양(pelvic abscess)의 치료
1. 복부 전방 농양 : 전산화단층촬영하 주사를 이용한 배농(CT-directed needle drainage)
2. 직장질중격의 후방 농양 : 후질벽 절개(posterior colpotomy)를 통한 배농
3. 요근 농양(psoas abscess) : 항생제 치료, 경피흡인 배농술(percutaneous drainage)
참고 Final Check 산과 647 page

79 임신 12주 쌍둥이를 임신한 산모의 초음파이다. 이 산모의 진단명을 고르시오.

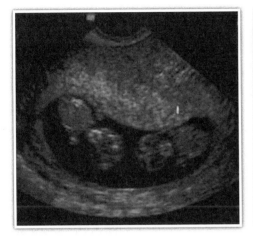 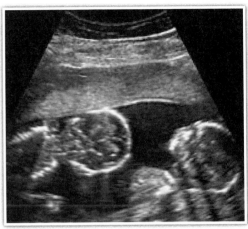

① 무심장성 쌍태아

② 단일융모막 단일양막 쌍태아

③ 단일융모막 이양막 쌍태아

④ 이융모막 이양막 쌍태아

⑤ 이접합성 쌍태아

79

정답 ②

해설 **단일 양막성 쌍태아 임신(Monoamnionic twin)**

1. 드문 빈도, 일란성 쌍태아 임신의 1%
2. 자궁 내 태아성장제한이 많고, 매우 높은 태아 사망률
   a. 선천성 기형, 조산
   b. 탯줄 얽힘(cord entanglement)

참고 *Final Check 산과 763 page*

80 임신 8주인 초산부가 쌍태아 임신을 확인하였고, 임신 20주에 시행한 초음파상 한쪽 태아만 심박동이 확인되었다. 이 산모에게 가장 적절한 처치를 고르시오.

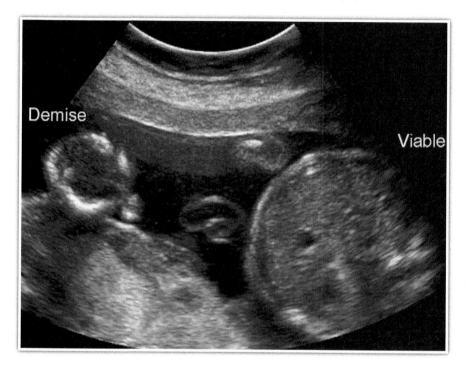

① β-hCG를 2일 간격으로 시행
② DIC 확인을 위한 혈액검사 1주일 간격으로 시행
③ 임신 중절 시행
④ 정기적 산전진찰 권유
⑤ 즉시 분만

80

정답 ④

해설 **일태아 사망(one fetal demise)의 처치**
1. 생존 태아의 보존적 치료 시행
2. 주기적 검진
   a. 모체측 : 소모성 응고장애에 대한 검사
   b. 태아측 : 비수축검사(NST), 폐성숙도 확인을 위한 양수천자
3. 소모성 혈액응고장애 발생 시 저용량 헤파린 사용
참고 *Final Check 산과 773 page*

81 쌍둥이 산모의 초음파 소견이 아래 사진과 같았다. 이러한 형태의 쌍태아에게 가장 많이 나타날 수 있는 합병증을 고르시오.

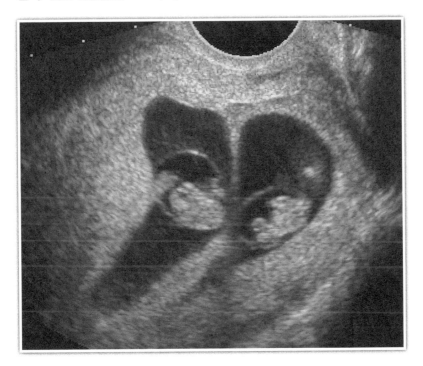

① TRAP

② TTTS

③ Cord entanglement

④ Fetus in fetus

⑤ Preterm labor

81

정답 ⑤

해설 다태아 임신 시 증가하는 합병증

1. 자연 유산(spontaneous abortion)
2. 선천성 기형(congenital malformations)
   a. 결합 쌍태아, 쌍태아 역동맥관류연쇄
   b. 수두증, 선천성 심장기형, 신경관 결손
   c. 곤봉발, 선천성 고관절 탈구
3. 저출생체중(low birth weight)
4. 고혈압(hypertension)
5. 조산(preterm birth)
6. 지연임신(postterm pregnancy)

참고 *Final Check 산과 761 page*

82 TTTS가 발생한 태아의 사진이 아래와 같았다. 좌측 태아에게 볼 수 없는 소견은 무엇인가?

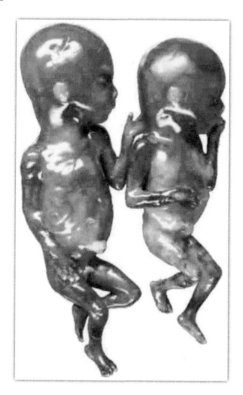

① Hypervolemia

② Polycythemia

③ Hypertension

④ Congestive heart failure

⑤ Hypoglycemia

82

정답 ⑤

해설 쌍태아 수혈증후군(Twin-twin transfusion syndrome, TTTS)

공여자(Donor)	수혈자(Recipient)
혈량저하증(hypovolemia)	혈량과다증(hypervolemia)
탈수(dehydration)	적혈구증가증(polycythemia)
저혈당(hypoglycemia)	울혈성 심부전(CHF), 심비대(cardiomegaly)
양수과소증(oligohydramnios), 교착 쌍태아(stuck twin)	고혈압(hypertension)
성장제한(growth restriction)	양수과다증(polyhydramnios)
빈혈(anemia)	부종(edema), 수종(hydrops)

참고 *Final Check 산과 767 page*

83 26주 다분만부가 산전검사를 위해 내원하였다. 초음파상 태아는 monochorionic twin, 두 태아 사이의 체중 차이가 25%, 양수는 한쪽에서는 8 cm 이상이 수직 깊이로 측정되고, 다른 쪽에서는 양수가 거의 없었다. 다음 중 이 산모에게 적합한 처치를 모두 고르시오.

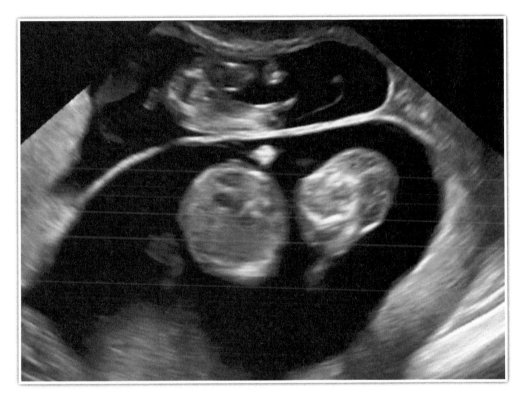

① Amniocentesis

② Steroid injection

③ Laser ablation

④ Tocolytics injection

⑤ Emergency cesarean section

83

정답 ③

해설 쌍태아 수혈증후군(TTTS)의 치료
1. 태아경하 레이저응고술(fetoscopic laser ablation) : Stage Ⅱ∼Ⅳ의 권장 치료법
2. 양수감소술(amnioreduction)
3. 선택적 태아희생술 : 탯줄정맥 부위의 고주파 열치료, 탯줄 폐쇄(cord occlusion)
4. 중격천공술(septostomy) : 시술 후 단일 양막성 상태를 만들어 추천되지 않음
참고 _Final Check 산과 768 page_

84 다음은 임신 16주 단일융모막성 이양막성 다태아의 초음파 소견이다. (A) 태아의 single deepest pocket = 9 cm이라면 이 산모에게 가장 올바른 처치를 고르시오.

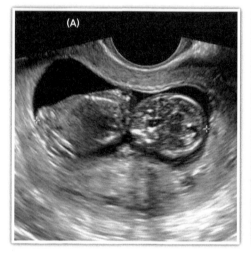 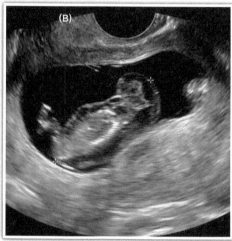

① (A) 태아 양수감압술

② (B) 태아 KCl 주입술

③ (B) 태아 고주파 열치료

④ (A) 태아 태아경하 레이저 응고술

⑤ 임신 종결

84

정답 ③

해설 **쌍태아 역동맥관류 현상(TRAP)의 치료**

1. 펌프 쌍태아에서 고박출 심부전이 발생하기 전에 무심장 쌍태아의 탯줄 혈류를 차단

2. 초음파 유도하 무심장 쌍태아의 탯줄 결찰

3. 복강 내 탯줄동맥에 알코올 주입

4. 탯줄동맥 내 코일 삽입

5. 전기소작이나 레이저로 무심장 쌍태아의 탯줄 응고

6. 고주파 열치료(radiofrequency ablation, RFA)

7. 임신 13~16주에 태아 내 레이저술(intrafetal laser treatment)

참고 *Final Check 산과 770 page*

85 임신 28주 산모의 경구당부하검사 결과가 아래와 같다면 다음 처치로 가장 적절한 것을 고르시오.

	50 g 경구당부하검사	100 g 경구당부하검사
공복		135 mg/dL
1 시간	195 mg/dL	220 mg/dL
2 시간		195 mg/dL
3 시간		190 mg/dL

① 식이요법
② 경구 혈당강하제
③ 운동요법
④ 경과관찰
⑤ Insulin 투여

85

정답 ⑤

해설 **임신성 당뇨의 약물요법 적응증**

1. 진단 처음부터 고도의 고혈당이 있는 경우
2. 식이요법과 운동요법으로도 혈당이 조절되지 않는 경우

참고 *Final Check 산과 890 page*

86 임신성 당뇨 산모의 분만 후 검사법과 시기를 쓰시오.

86

정답 분만 4~12주 후에 75 g 경구당부하검사 시행

해설 임신성 당뇨 산모의 분만 후 관리

1. 분만 4~12주 후에 75 g 경구당부하검사 시행
2. 정상인 경우 1~3년 간격으로 경구당부하검사 반복
3. 향후 심혈관계 합병증이 초래될 가능성이 크고, 2/3 이상에서는 다음 임신 시 재발

참고 *Final Check 산과 892 page*

87 반복 제왕절개술을 시행 받은 산모가 수술 다음날 갑자기 호흡곤란, 발한 등의 증세를 보이며 의식이 소실되었다. 시행한 검사가 아래와 같은 소견을 보일 때, 이 환자에게 투여해야 할 약제를 고르시오.

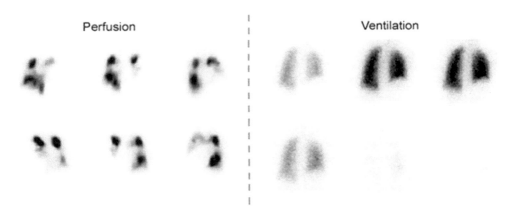

① Aspirin

② Heparin

③ Urokinase

④ Warfarin

⑤ Observation

87

정답 ②

해설 **폐색전증(pulmonary embolism)의 치료**

1. 항응고치료(anticoagulation) : 심부정맥혈전증의 치료와 유사
2. 대정맥여과장치(vena caval filter)
3. 혈전용해제(thrombolytic agent) : 조직 플라스미노겐 활성인자
4. 색전적제술(embolectomy)

참고 _Final Check 산과 841 page_

88 태아 초음파상 다음과 같은 소견이 보인다면 다음 처치로 가장 적절한 것은 무엇인가?

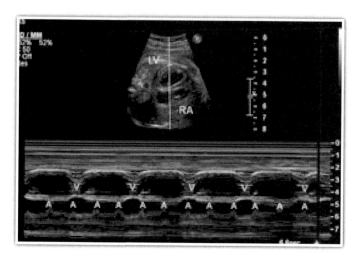

① 산모 Anti Ro/La antibody 검사

② 염색체 검사

③ 응급 제왕절개술

④ 양수 주입술

⑤ 임신 종결

88

정답 ①

해설 **완전심장차단(Complete heart block)**

1. 신생아 전신홍반루푸스의 가장 심각한 합병증
2. 원인
   a. 심장근육에 존재하는 항원에 항체가 결합하여 심장전도체계에 손상 유발
   b. 방실결절(AV node)과 히스속(bundle of His) 사이 전도계 섬유화로 완전방실차단 발생
3. 태아의 산모에서 anti-Ro(SS-A), anti-La(SS-B) 항체 양성
4. anti-Ro (SS-A), anti-La (SS-B) 항체 양성 산모에서 완전심장차단이 발생 빈도는 1~2%
5. 다음 임신에서 완전심장차단의 재발 가능성은 15~20%로 높음

참고 *Final Check 산과 918 page*

89 임신 37주 다분만부가 회음부의 통증과 물 같은 질 분비물을 주소로 내원하였다. 회음부에는 사진과 같은 병변이 있었고, nitrazine test가 양성으로 확인되었다면 다음 처치로 가장 적절한 것을 고르시오.

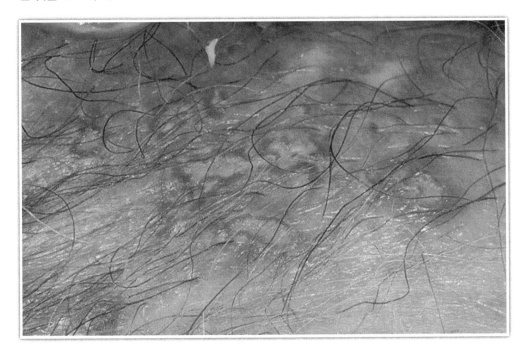

① 경과관찰

② 양수 검사

③ Metronidazole

④ 유도 분만

⑤ 제왕절개 분만

89

정답 ⑤

해설 단순포진바이러스(herpes simplex virus, HSV)와 분만

1. HSV에 감염되었던 산모가 분만 임박 시
   a. 가렵고 따끔거리는 선행증상이 있는지 확인
   b. 외음부, 질, 자궁경부를 관찰하며 의심 병변이 있으면 바이러스 검사 시행
2. 제왕절개의 적응증 : 생식기의 활성병변 또는 선행증상이 있는 경우(ACOG, 2016)
3. 활성병변이 없거나 활성병변이 생식기 외에 있을 경우 질식분만 가능

참고 *Final Check 산과 991 page*

90 다음은 분만 중 사망한 여성의 부검 조직이다. 이 질환에 대한 내용으로 옳은 설명을 고르시오.

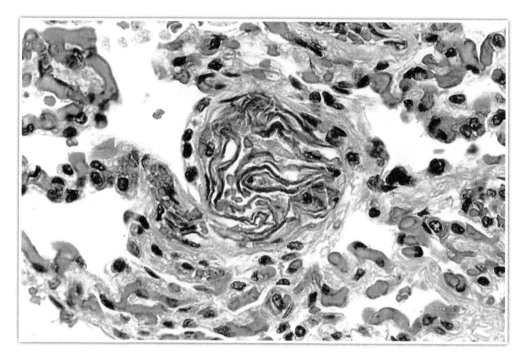

① Oxytocin을 사용한 경우 빈도가 증가한다

② Pulmonary artery에 태아 조직(fetal tissue)이 보이지 않을 경우 가능성은 적다

③ 빨리 소생술을 시행하여 생존한 경우 신경학적 이상은 적다

④ 수술 후 탄력 스타킹을 사용하여 예방한다

⑤ 과민증(anaphylaxis)과 면역매개적과정(complement activation)의 결과이다

90

정답 ⑤

해설 양수색전증(Amnionic fluid embolism)

1. 전형적인 증상 : 급성 저산소증, 혈역학계 허탈, 혈액응고장애
2. 예방할 수도, 예측할 수도 없는 산과적 질환
3. 양수색전증이 과민증과 패혈성 혼수와 유사한 면역매개적과정의 결과로 이루어진다는 가설
4. 생존한 많은 환자에서 저산소증으로 인한 영구적인 신경학적인 이상이 발생

참고 *Final Check 산과 707 page*

91

다음은 태아의 머리 사진과 신장 조직의 병리 사진이다. 이 환자의 진단명을 쓰시오.

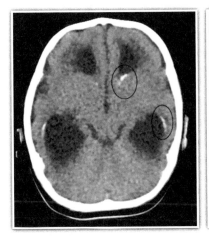 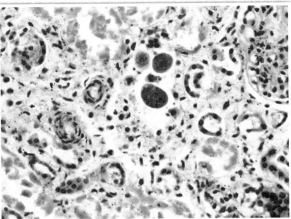

91

[정답] CMV 감염

[해설] 거대세포바이러스(Cytomegalovirus, CMV)

1. 병리 소견 : 핵내봉입체(intranuclear inclusion body)
2. 초음파 소견

CMV의 산전 초음파 이상소견	
대표적 소견	태아수종
중추신경계	뇌실확장증, 두개 내 석회화, 뇌실막밑낭종, 거대뇌증, 소두증
심장	방실중격결손, 폐동맥협착, 난원공 폐색, 대동맥축착증
복부	간비장비대, 복강 내 석회화, 고음영장(echogenic bowel)
기타	비정상적인 태반 크기(크거나, 작거나), 양수과다증 or 양수과소증

[참고] *Final Check 산과 952 page*

92 임신 32주에 자궁 내 사망된 태아의 검사 소견이다. 신장의 조직검사는 아래와 같았고, hep-ato-splenomegaly, periventricular calcification이 동반되어 있었다. 가장 가능성이 있는 원인은 무엇인가?

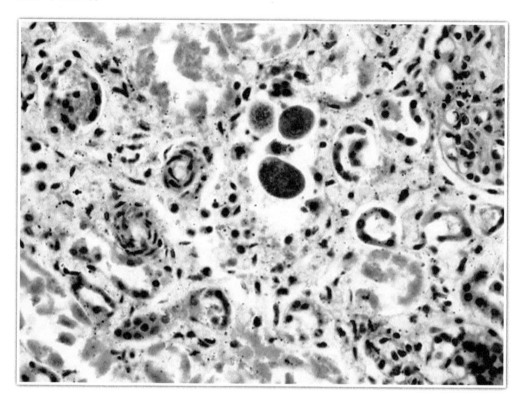

92

정답 CMV infection

해설 거대세포바이러스(Cytomegalovirus, CMV)

1. 병리 소견 : 핵내봉입체(intranuclear inclusion body)
2. 초음파 소견

CMV의 산전 초음파 이상소견	
대표적 소견	태아수종
중추신경계	뇌실확장증, 두개 내 석회화, 뇌실막밑낭종, 거대뇌증, 소두증
심장	방실중격결손, 폐동맥협착, 낭원공 폐색, 대동맥축착증
복부	간비장비대, 복강 내 석회화, 고음영장(echogenic bowel)
기타	비정상적인 태반 크기(크거나, 작거나), 양수과다증 or 양수과소증

참고 *Final Check 산과 954 page*

93 다음과 같은 초음파 소견을 유발하는 가장 흔한 바이러스를 고르시오.

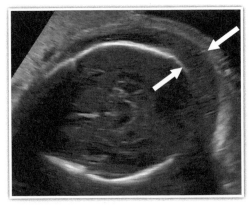
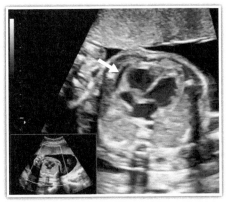
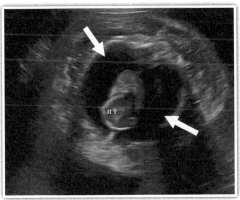
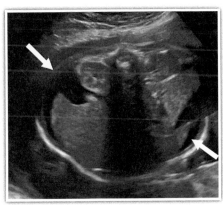

① Mumps ② Parvovirus B19 ③ Coxsackie virus

④ Measles ⑤ CMV

93

정답 ②

해설 **파르보바이러스(Parvovirus)**

1. 비면역성 태아수종(nonimmune hydrops)
   a. 감염된 산모의 1% 정도에서 발생하지만 이는 비면역성 태아수종의 가장 흔한 원인
   b. 80% 이상이 임신 제2삼분기에 진단
   c. 태아수종 유발의 중요한 시기 : 임신 13~16주(태아의 간내 혈구생성이 활발한 시기)
2. 태아 감염 시 초음파 소견
   a. 태아수종(hydrops fetalis)
   b. 간비대(hepatomegaly)
   c. 비장비대(splenomegaly)
   d. 태반비대(placentomegaly)
   e. MCA-PSV 증가

참고 *Final Check* 산과 *966 page*

94 다음은 Rh (−) 혈액형을 가진 임신 30주 다분만부에서 시행한 태아의 복부 초음파 소견이다. 반드시 확인해야하는 태아의 혈관을 쓰시오.

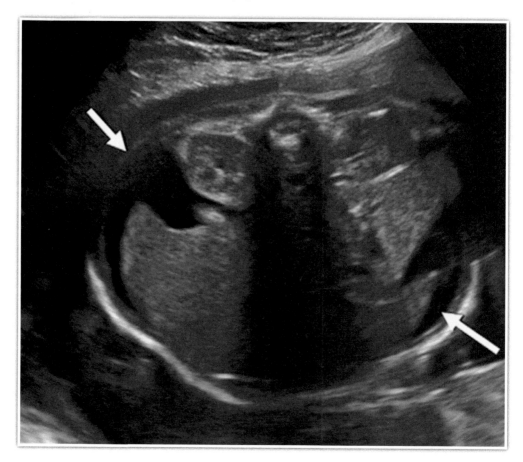

94

정답 중대뇌동맥(Middle cerebral artery)

해설 중대뇌동맥-최고수축기속도(MCA-PSV) 측정
1. 태아 항원이 양성인 경우 임신 24주 경부터 1~2주 간격으로 시행
2. MCA-PSV 〉1.5 MoM
   a. 중등도 이상의 빈혈을 의미
   b. 태아 적혈구용적률(Hct) 확인과 자궁 내 수혈을 위한 탯줄천자의 적응증
   c. 적혈구용적률이 30% 이하면 자궁 내 수혈 시행

참고 Final Check 산과 330 page

95 임신력 1-0-0-1인 임신 32주 산모가 피부 가려움증을 주소로 내원하였다. 복부와 사지에 사진과 같은 소견이 발견되었으며 지난 임신에서도 이와 비슷한 소견이 있었다고 한다. 이 질환에 대한 내용으로 올바른 것을 고르시오.

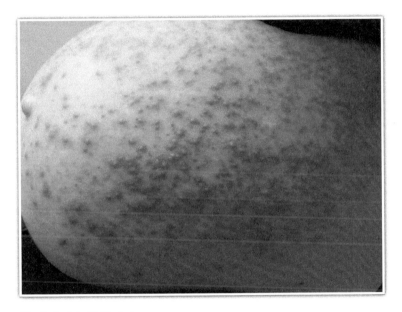

① 바이러스 질환이다

② 다음 임신 시에도 재발하며 증상은 더 심해질 것이다

③ 분만 1~4주 후 소실될 것이다

④ 병리학상 basement membrane에 C4 deposition이 관찰된다

⑤ 주로 임신 초반에 발생한다

95

[정답] ②

[해설] **임신유사천포창(Pemphigoid gestationis)**

1. 원인
   a. 헤르페스 바이러스와는 관계가 없는 자가면역 수포성 피부질환
   b. 표피의 기저막에 대한 C3 보체, 때로 IgG 항체가 생성되면서 발생
2. 임상적 특징
   a. 대부분 임신 제2, 3삼분기에 주로 발생
   b. 임신 초기나 분만 후 1주일 후에도 발생하는 경우도 존재
   c. 복부에 심한 가려움을 동반한 발진성 병변
3. 재발
   a. 다음 임신에서 종종 재발하고, 재발 시 더 이른 시기에 더 심하게 발병
   b. 다음 월경과 동반되어 재발하거나 경구피임제 사용 후 발적 형성 가능

[참고] *Final Check 산과 935 page*

96 임신 34주 산모가 가려움증을 주소로 내원하였다. 병변이 다음과 같다면 이 산모에게 가장 적절한 처치를 고르시오.

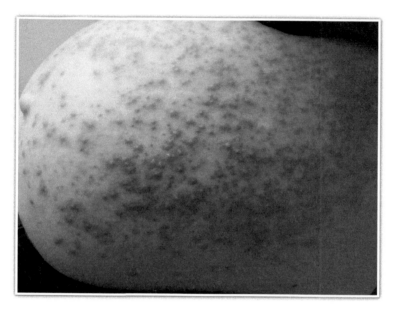

① 항바이러스제
② 항생제
③ 스테로이드제
④ 비타민 A
⑤ 면역글로불린

96

정답 ③

해설 임신유사천포창(pemphigoid gestationis)의 치료
1. 경구 항히스타민, 국소 스테로이드 : 초기 병변에 사용
2. 경구 스테로이드 : 진행된 병변에 사용
   a. Prednisone 0.5~1 mg/kg/day(보통 20~40 mg/day), 경구 투여
   b. 보통 즉시 증상이 호전되고 새로운 병변의 발생을 억제
참고 Final Check 산과 937 page

97 임신 30주 산모가 소양증을 동반한 다음 사진과 같은 피부 병변을 주소로 내원하였다. 이 질환에 대한 내용으로 올바른 것을 고르시오.

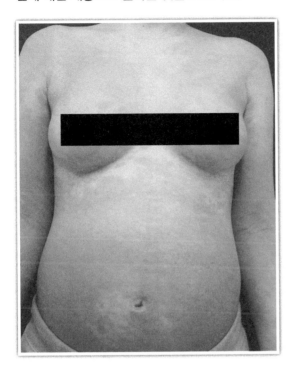

① 초산모에게 흔하다
② 다음 임신 시 재발이 흔하다
③ 수포를 형성한다
④ 주산기 사망률이 증가한다
⑤ 임신 초반에 호발한다

97

[정답] ①
[해설] 임신소양성두드러기성 구진 및 판(Pruritic urticarial papules and plaques of pregnancy, PUPPP)
1. 임신 중 가장 흔한 가려움증을 동반한 양성 피부 염증성 질환
2. 임상적 특징
 a. 초산모에서 잘 발생
 b. 임신 후기(특히 임신 제3삼분기)에 호발, 약 15%는 분만 후 발생
 c. 심한 가려움을 동반한 다양한 형태의 발진 : 두드러기, 잔수포, 찰과상, 자색반 등
 d. 분만 후 수일 내에 흉터를 남기지 않고 자연 회복
 e. 다음 임신이나 경구피임제 복용으로 인한 재발은 거의 없음
3. 임신에 대한 영향 : 임산부와 태아의 위험 증가 없음
[참고] Final Check 산과 934 page

98 다음은 임신 36주 산모의 복부에서 시작된 피부 병변이다. 이 질환에 대한 설명으로 올바른 것을 고르시오.

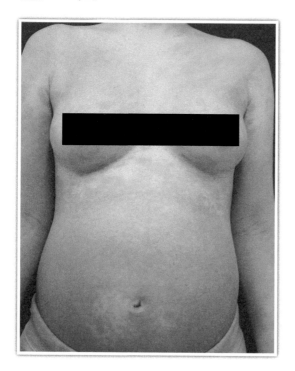

① 다음 임신 시 재발할 수 있다

② 초산모에 흔하다

③ 심하면 수포가 생긴다

④ 조산의 가능성이 있다

⑤ 태아의 발육 지연 가능성이 있다

98

정답 ②

해설 **임신소양성두드러기성 구진 및 판(Pruritic urticarial papules and plaques of pregnancy, PUPPP)**

1. 임신 중 가장 흔한 가려움증을 동반한 양성 피부 염증성 질환

2. 임상적 특징

  a. 초산모에서 잘 발생

  b. 임신 후기(특히 임신 제3삼분기)에 호발, 약 15%는 분만 후 발생

  c. 심한 가려움을 동반한 다양한 형태의 발진 : 두드러기, 잔수포, 찰과상, 자색반 등

  d. 분만 후 수일 내에 흉터를 남기지 않고 자연 회복

  e. 다음 임신이나 경구피임제 복용으로 인한 재발은 거의 없음

3. 임신에 대한 영향 : 임산부와 태아의 위험 증가 없음

참고 *Final Check 산과 934 page*

99 임신 38주 산모가 복부의 다음과 같은 병변과 심한 전신의 가려움증을 주소로 내원하였다. 이 환자에게 가장 적절한 처치를 고르시오.

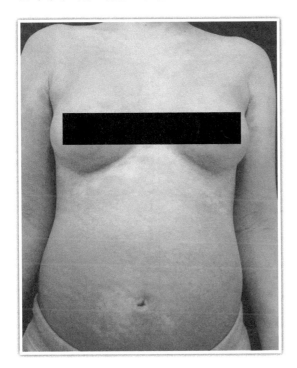

① 항바이러스제
② 항생제
③ 스테로이드제
④ 즉시 분만
⑤ 면역 억제제

[정답] ③
[해설] **임신소양성두드러기성 구진 및 판(PUPPP)의 치료**
1. 경구 항히스타민(oral antihistamine), 피부연화제(skin emollients)
2. 국소 스테로이드(topical corticosteroid) : 대부분에서 호전
3. 경구 스테로이드(oral corticosteroid) : 위 치료로 호전되지 않는 경우 단기간 사용
[참고] *Final Check 산과 934 page*

100 산모의 외음부에 다음과 같은 병변이 관찰되었다. 치료 방법으로 사용할 수 없는 것을 고르시오.

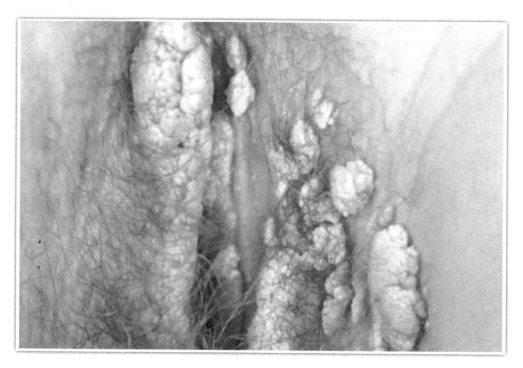

① Trichloroacetic acid

② Cryotherapy

③ Podophyllin

④ Laser ablation

⑤ Electrocautery

100

정답 ③

해설 임신 중 생식기 사마귀(condyloma acuminatum)의 치료

임신 중 치료법	임신 중 금기법
Trichloroacetic or bichloracetic acid solution 　– Topically once a week 　– 80~90%에서 효과 　– 넓은 범위에 사용할 수 있음 냉동치료(cryotherapy) 레이저절제술(laser ablation) 전기소작술(electrocautery) 수술적 절제술(surgical excision)	Podophyllin(topical application of 25% or 10%) Podofilox 5-FU cream Imiquimod cream Interferon

참고 *Final Check 산과 996 page*

101
임신 20주 산모가 다음 사진과 같은 병변을 주소로 내원하였다. 다음 중 가장 적절한 처치를 고르시오.

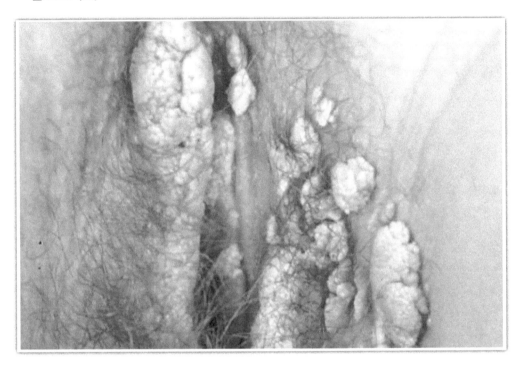

① Imiquimode

② Interferon

③ Podofilox

④ Podophyllin

⑤ Electrocautery

101

정답 ⑤

해설 임신 중 생식기 사마귀(condyloma acuminatum)의 치료

임신 중 치료법	임신 중 금기법
Trichloroacetic or bichloracetic acid solution 　－ Topically once a week 　－ 80~90%에서 효과 　－ 넓은 범위에 사용할 수 있음 냉동치료(cryotherapy) 레이저절제술(laser ablation) 전기소작술(electrocautery) 수술적 절제술(surgical excision)	Podophyllin(topical application of 25% or 10%) Podofilox 5-FU cream Imiquimod cream Interferon

참고 *Final Check 산과 996 page*

102 임신 30주 임산부에게 다음과 같은 소견이 보였다. 이 산모에게 가장 적절한 처치를 고르시오.

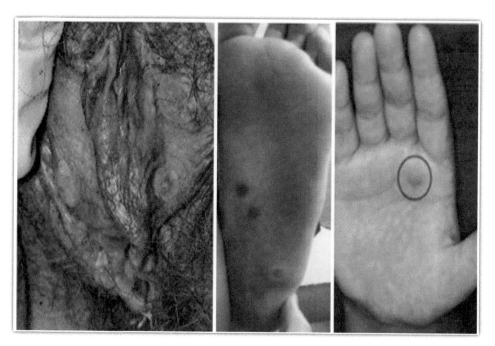

① 경과관찰
② 포도필린
③ 항진균제
④ 페니실린
⑤ 광범위 국소절제술

102

정답 ④

해설 임신부의 매독 치료

조기 매독

Benzathine penicillin G 240만 units, 근육주사, 1회
(임신 20주 이상은 1주일 간격으로 2회 요법)

만기 매독 (신경매독 제외)

Benzathine penicillin G 240만 units, 근육주사, 1주일 간격 3회

신경매독

Potassium crystalline penicillin G 300~400만 units, 6회/일, 18~21일 간
(페니실린 정맥주사는 하루라도 빠지면 처음부터 다시 시작)

– Penicillin 알러지가 있는 경우 : 탈감작 후 치료를 실시

참고 Final Check 산과 926 page

산부인과
FINAL TEST

병리, 영상, 문제해결

GYNECOLOGY

CHAPTER 01

부인과 병리 문제

01 다음 사진을 보고 진단명을 쓰시오.

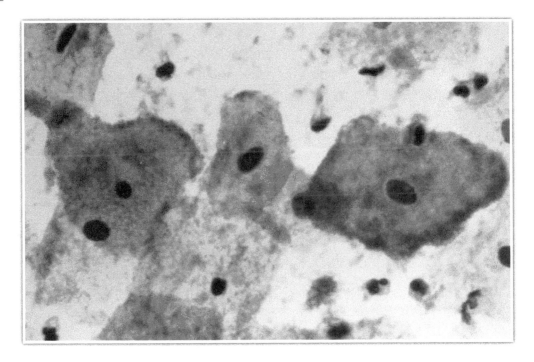

01

[정답] Bacterial vaginosis

[해설] Bacterial vaginosis

1. Clue cells : Squamous cells covered by coccobacilli with extension to the cell edges
2. The entire cell does not need to be covered
3. Lactobacilli and inflammatory cells are absent, unless there is another infectious process
4. The small coccobacilli form a granular blue background on conventional smears

[참고] *Final Check 병리 3 page*

02 다음을 조직병리 사진을 보고 진단명을 쓰시오.

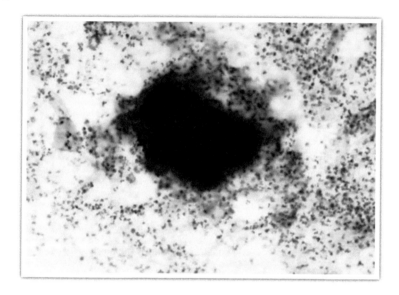

02

정답 Actinomycosis

해설 **Actinomycosis**

1. Aggregates of pseudofilamentous material, often with acute angle branching
2. Cotton ball : Tangled clumps of filamentous organisms

참고 *Final Check 병리 4 page*

03 다음 자궁경부의 조직병리 사진을 보고 진단명을 쓰시오.

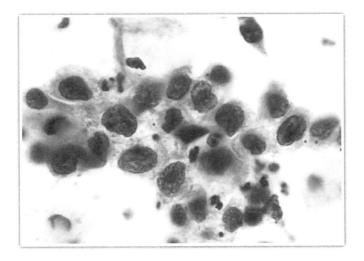

03

정답 HSIL

해설 HSIL

1. High N/C ratio
2. Wavy nuclear membrane
3. Coarse chromatin
4. CIN 3
   a. 전층에 걸쳐 density가 비슷함
   b. Intact basement membrane

참고 *Final Check 병리 11, 13 page*

04 다음은 자궁경부의 조직소견이다. 진단명을 쓰시오.

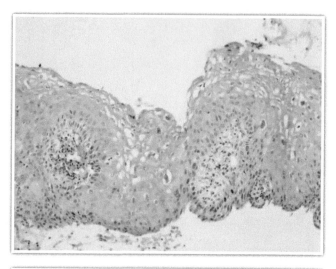

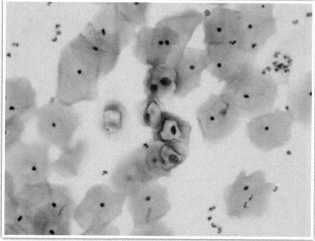

04

정답 LSIL

해설 LSIL

1. Koilocytosis
   a. Clear perinuclear zone
   b. Dense peripheral cyplasmic rim
   c. Enlarged wrinkled nuclei
2. N/C ratio 증가 : 중간세포 핵의 3배 이상
3. 핵이 2개 보이기도 함
4. Surface에만 koilocytosis가 관찰

참고 *Final Check 병리 11, 12 page*

05 다음은 자궁경부의 조직 소견이다. 진단명을 쓰시오.

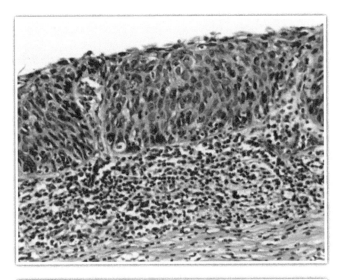

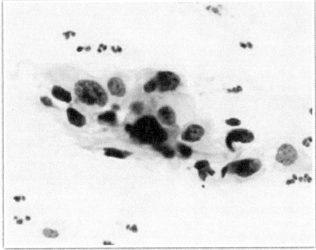

05

정답 CIN 3

해설 HSIL

1. High N/C ratio
2. Wavy nuclear membrane
3. Coarse chromatin
4. CIN 3
   a. 전층에 걸쳐 density가 비슷함
   b. Intact basement membrane

참고 *Final Check 병리 11, 13 page*

06 다음 자궁내막 조직이 보이는 시기를 쓰시오.

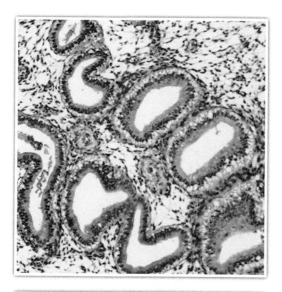

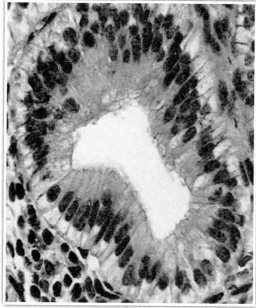

06

정답 Early secretory phase

해설 **Early secretory phase**

1. Subnuclear vacuoles
2. 36 hours after ovulation

참고 Final Check 병리 31 page

07 다음은 자궁의 병리조직 사진이다. 진단명을 쓰시오.

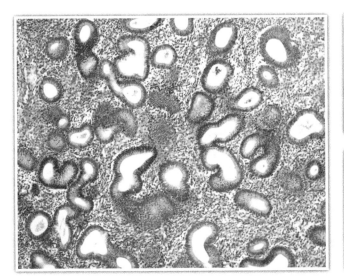
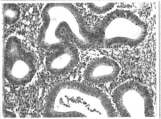
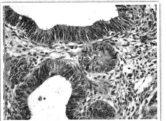

07

[정답] Simple hyperplasia without atypia

[해설] Simple hyperplasia without atypia
1. Stroma에 비해 gland의 비율이 1:1 이상
2. Gland가 lumen을 합쳐서 glandular area의 증가
3. Gland의 모양이 cystic change를 하지만 시험관 모양을 유지
4. Without atypia : 진하면서 키가 큰 길쭉한 핵으로 구성

[참고] *Final Check 병리 41 page*

08 다음은 자궁의 조직병리 사진이다. 진단명을 쓰시오.

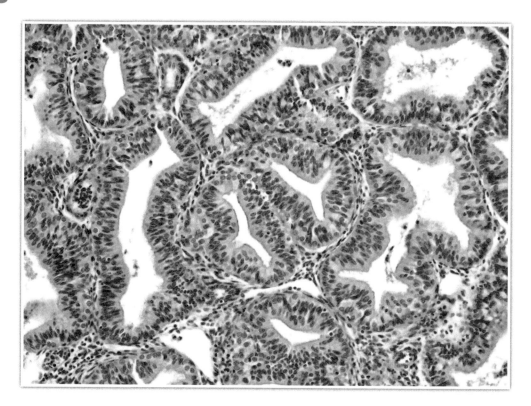

08

정답 Complex hyperplasia without atypia

해설 Complex hyperplasia without atypia

1. Increase in number and size of endometrial glands with crowding of stroma and budding
2. Some normal stromal cells are present between adjacent glands
3. Complex pattern may be secretory with eosinophilic metaplasia

참고 *Final Check 병리 42 page*

09 다음은 자궁의 조직병리 사진이다. 진단명을 쓰시오.

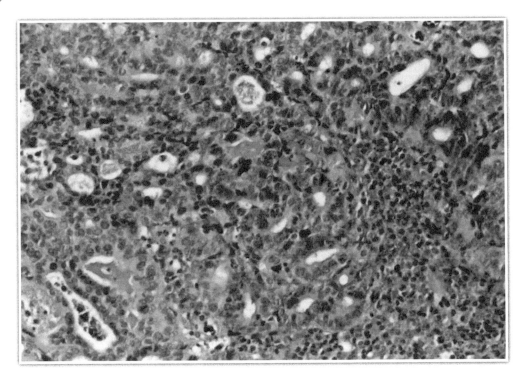

09

정답 Endometrioid carcinoma

해설 Endometrioid carcinoma

1. Back to back endometrial—type glands of varying differentiation/atypia with no intervening stroma
2. Cribriform glands : Fusion of glands, multiple lumens
3. Stroma present is usually desmoplastic, may have foamy cells due to tumor necrosis
4. Commonly has squamous metaplasia

참고 *Final Check 병리 44 page*

10 다음은 자궁의 조직병리 사진이다. 진단명을 쓰시오.

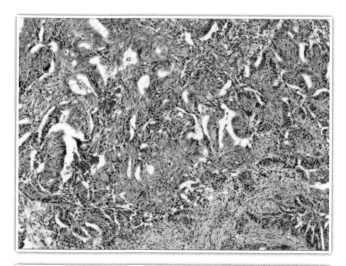

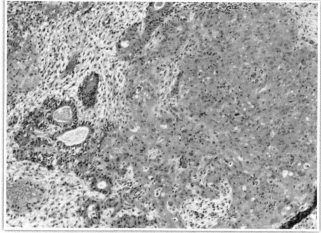

10

정답 Endometrioid adenocarcinoma

해설 Endometrioid adenocarcinoma

1. A typical glandular proliferation composed of tubular glands lined by columnar cells with moderate amount of eosinophilic cytoplasm and occasional intracytoplasmic mucin
2. Nuclei are oval to elongated, large and stratified or pseudostratified
3. Glands can show microcysts and numerous neutrophils within and around cysts, microglandular pattern
4. Grades: vary from well differentiated to moderately to poorly differentiated

참고 Final Check 병리 45 page

11 다음은 자궁의 조직병리 사진이다. 진단명을 쓰시오.

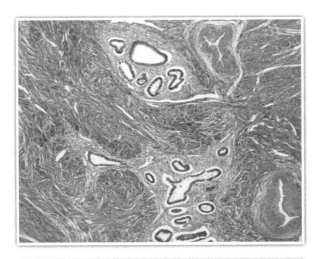

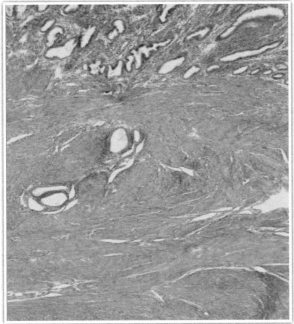

11

정답 Adenomyosis

해설 Adenomyosis

1. Stroma plus marker glands deep in myometrium
2. Often smooth muscle hypertrophy present around glands
3. Usually consists of basal layer of endometrium that may be connected with mucosa

참고 *Final Check 병리 40 page*

12 다음 조직병리 사진을 보고 진단명을 쓰시오.

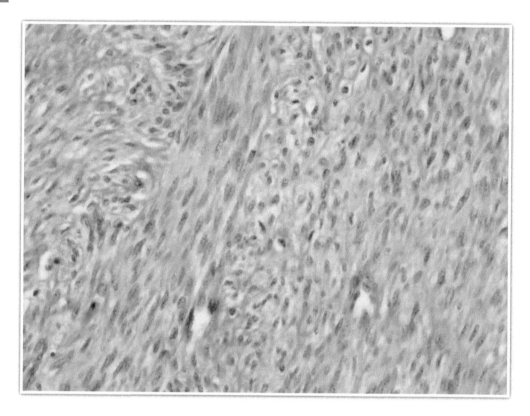

12

정답 Leiomyoma

해설 Leiomyoma

1. Smooth muscle cells with bland, uniform, cigar-shaped nuclei, arranged in interlacing bundles
2. Fascicular pattern of smooth muscle bundles separated by well vascularized connective tissue
3. Smooth muscle cells are elongated with eosinophilic or occasional fibrillar cytoplasm and distinct cell membranes

참고 *Final Check 병리/ 50 page*

13 다음 조직병리 사진을 보고 진단명을 쓰시오.

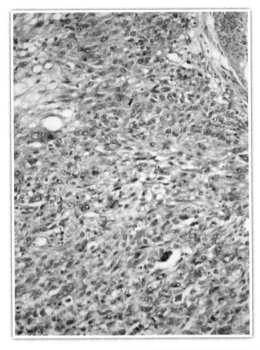

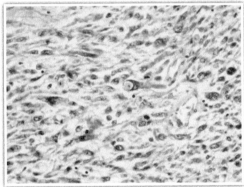

13

정답 Leiomyosarcoma

해설 **Leiomyosarcoma**

1. Hypercellular
2. Cellular pleomorphism & mitosis
3. Nuclear atypia
4. Tumor cell necrosis
5. Infiltrative/permeative

참고 *Final Check 병리 52 page*

14 다음은 자궁의 조직병리 사진이다. 진단명을 쓰시오.

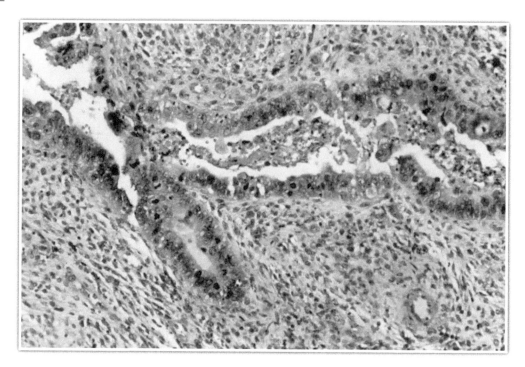

14

정답 Malignant Mixed Mullerian Tumor (MMMT)

해설 Malignant Mixed Mullerian Tumor (MMMT)
1. Biphasic tumor with carcinomatous and sarcoma-like elements
2. Most common epithelial component is glandular (endometrioid, clear cell, serous) and usually poorly differentiated
3. Most common sarcomatous components are homologous (endometrial stromal sarcoma, leiomyosarcoma) or heterologous (muscle, cartilage, osteoid, fat)

참고 *Final Check 병리| 55 page*

15 다음은 자궁의 조직병리 사진이다. 진단명을 쓰시오.

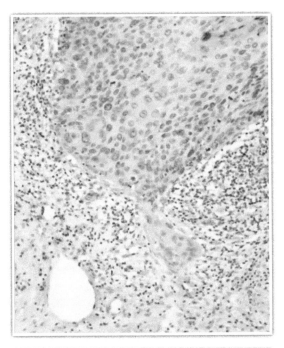

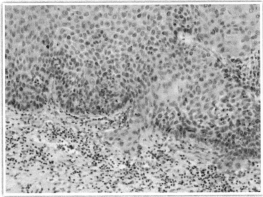

15

정답 Microinvasive squamous cell carcinoma

해설 Microinvasive squamous cell carcinoma

1. Irregularly shaped tongues of epithelium projecting into stroma
2. Invasive cells exhibit individual cell keratinization, loss of polarity, pleomorphism, cellular differentiation, prominent nucleoli, desmoplastic stroma rich in acid mucosubstances with metachromatic staining properties, breach of basement membrane by reticulin stains
3. Scalloped margins at epithelial—stromal interface, duplication of neoplastic epithelium or pseudoglands

참고 *Final Check 병리 14 page*

16 다음은 자궁경부의 조직병리 사진이다. 진단명을 쓰시오.

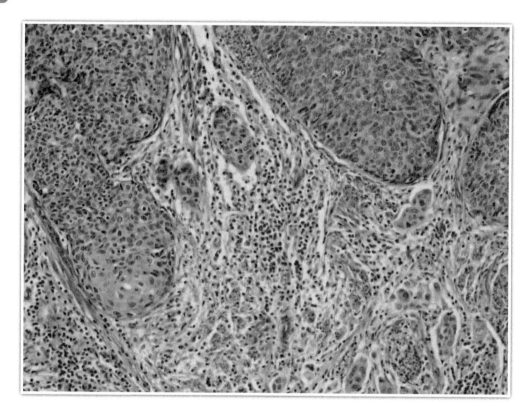

16

정답 Squamous cell carcinoma

해설 Squamous cell carcinoma

1. Invasion characterized by desmoplastic stroma, focal conspicuous maturation of tumor cells with prominent nucleoli, blurred or scalloped epithelial—stromal interface, loss of nuclear polarity
2. May have pseudoglandular pattern due to acantholysis and central necrosis
3. May have HSIL/CIN III like growth pattern

참고 *Final Check 병리 15 page*

17 다음 조직병리 사진을 보고 진단명을 쓰시오.

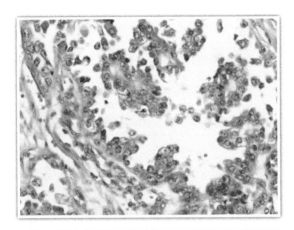

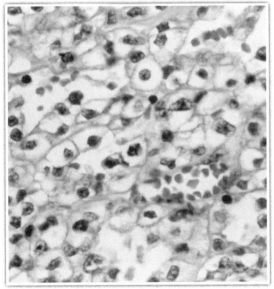

17

[정답] Clear cell carcinoma

[해설] **Clear cell carcinoma**

1. Tubulocystic, solid, papillary or microcystic patterns of cells with abundant clear or eosinophilic cytoplasm, large irregular nuclei
2. Hobnail cell : Nuclei protrude into lumina
3. Intraglandular papillary projections
4. In situ changes at squamocolumnar junction
5. Hyalinized stroma or papillary cores
6. Eosinophilic material within tubules or cysts

[참고] *Final Check 병리 26, 75 page*

18 다음은 외음부의 병변과 조직병리 사진이다. 진단명을 쓰시오.

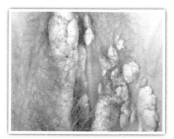

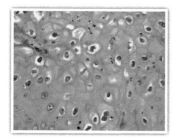

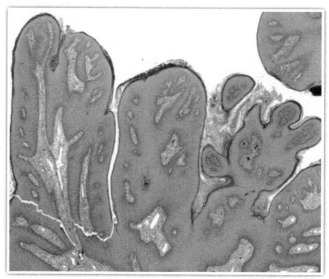

18

정답 Condyloma acuminatum

해설 **Condyloma acuminatum**

1. HPV 6, 11
2. Papillary growth of squamous epithelium
3. Koilocytosis : perinuclear halo & nuclear atypia
4. Hyperkeratosis
5. Fibrovascular core

참고 *Final Check 병리 101 page*

19 다음은 외음부의 조직병리 사진이다. 진단명을 쓰시오.

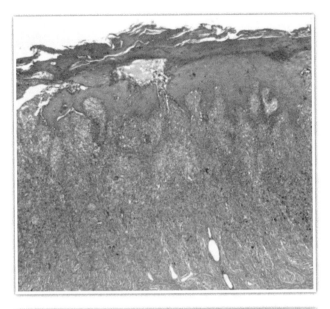

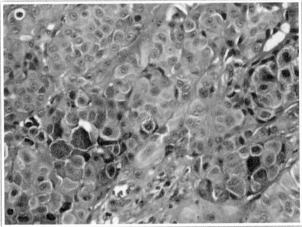

19

정답 Malignant melanoma

해설 Malignant melanoma

1. Epithelioid or spindle cell
2. Abundant eosinophilic cytoplasm, large nucleus & nucleolus
3. Melanin pigment in cytoplasm

참고 *Final Check 병리 120 page*

20 다음의 조직병리 사진을 보고 진단명을 쓰시오.

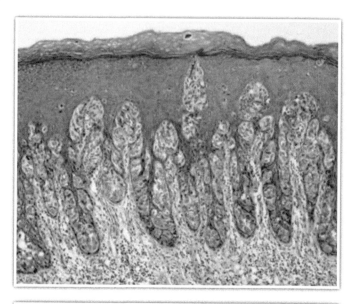

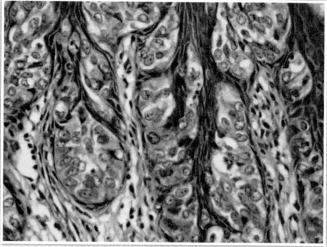

20

정답 **Paget disease**

해설 **Paget disease**

1. Intraepithelial neoplasm of cuteneous origin expressing apocrine or eccrine glandular features
2. Paget cells
   a. Large round cells with prominent cytoplasm (mucopolysacchride)
   b. Large nucleus and prominent nucleolus

참고 *Final Check 병리 116 page*

21 다음은 난소의 조직병리 사진이다. 진단명을 쓰시오.

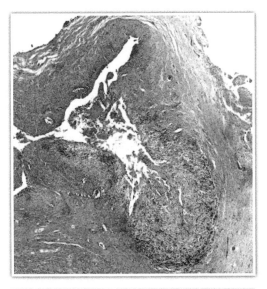

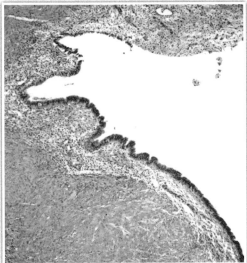

21

정답 Endometriosis

해설 Endometriosis

1. Endometrial glands, endometrial stroma or hemorrhage
2. Stromal cells have naked nuclei and are surrounded by reticulin and spiral arterioles
3. Smooth muscle stroma is common
4. Hemorrhage may destroy stromal tissue

참고 *Final Check 병리 71 page*

22 다음은 난소와 조직병리의 사진이다. 진단명을 쓰시오.

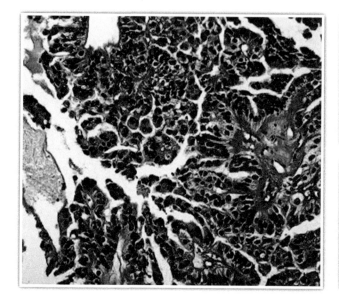

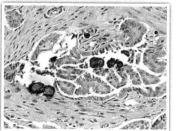

22

정답 High grade serous adenocarcinoma (HGSC)

해설 High grade serous adenocarcinoma (HGSC)

1. Branching papillary fronds, slit–like fenestrations, glandular complexity, moderate to marked nuclear atypia with marked pleomorphism, prominent nucleoli, stratification, frequent mitoses, stromal invasion

2. Variable psammoma bodies

3. Stroma may be fibrous, edematous, myxoid, or desmoplastic

4. Mitotic index 〉12 MI/10HPF (secondary feature)

참고 *Final Check 병리* 64 page

23 다음은 난소의 조직병리 사진이다. 진단명을 쓰시오.

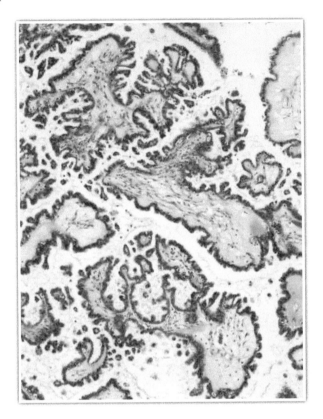

23

정답 Serous borderline tumor

해설 **Serous borderline tumor**

1. Broad, branching papillae (hierarchical branching) focally covered by stratified epithelium with mild to moderate atypia with few mitoses
2. Proliferation, tufting
3. Stroma is fibrous and edematous with variable psammoma bodies
4. Absence of destructive stromal invasion

참고 *Final Check 병리* 61 page

24 다음은 난소와 조직병리의 사진이다. 진단명을 쓰시오.

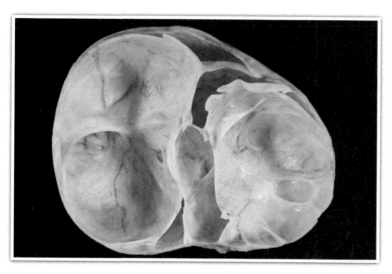

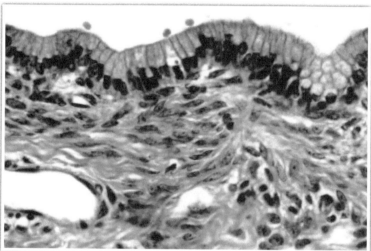

24

정답 Benign mucinous tumors

해설 Benign mucinous tumors

1. Tall, columnar, nonciliated cells, basal nuclei
2. Abundant intracellular mucin
3. Stroma may be fibrous or mimic ovarian stroma

참고 *Final Check 병리 65 page*

25 다음은 난소의 조직병리 사진이다. 진단명을 쓰시오.

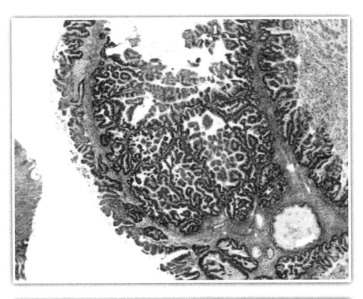

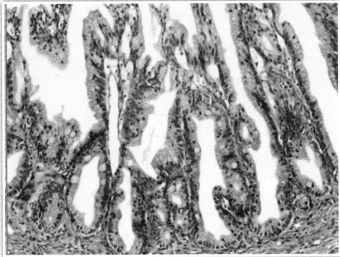

25

정답 Mucinous Borderline Tumors

해설 Mucinous Borderline Tumors

1. Resemble dysplastic intestinal epithelium with goblet cells, neuroendocrine cells
2. Neoplastic cells have hyperchromasia, crowding, increased mitosis, stratification forming papillae with thin fibrous cores
3. ≥10 % : Atypical epithelial proliferation without stromal invasion
4. No stromal invasion

참고 *Final Check 병리 66 page*

26 다음은 난소의 조직병리 사진이다. 진단명을 쓰시오.

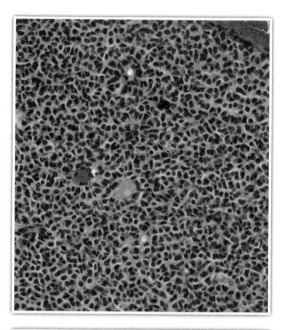

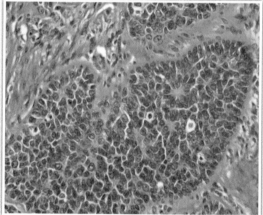

26

[정답] Adult granulosa cell tumor

[해설] **Adult granulosa cell tumor**

1. Small, bland, cuboidal to polygonal cells in various patterns
2. Call–Exner bodies : Small fluid–filled spaces between granulosal cells in ovarian follicles and in ovarian tumors of granulosal origin
3. Cells have coffee bean nuclei with folds/grooves
4. Central round nuclei with single prominent nucleoli

[참고] *Final Check 병리/ 84 page*

27 성 조숙증을 보이는 12세 여아가 난소에 종양이 있어 진단적 개복술을 시행하였다. 조직 검사 상 아래와 같은 소견을 보였다면 이 환자의 진단명으로 가장 적절한 것을 고르시오.

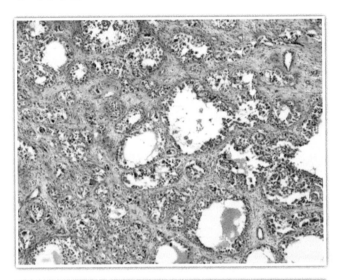

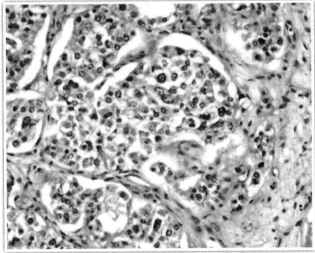

27

정답 Juvenile granulosa cell tumor

해설 Juvenile granulosa cell tumor

1. Round to oval follicle
2. Mucinous secretion
3. Luteinized granulosa & theca cells
4. Hyperchromatic nuclei
5. Mitosis, atypical mitosis

참고 *Final Check 병리 85 page*

28 다음은 난소 수술 후 조직의 사진과 조직병리 사진이다. 진단명을 쓰시오.

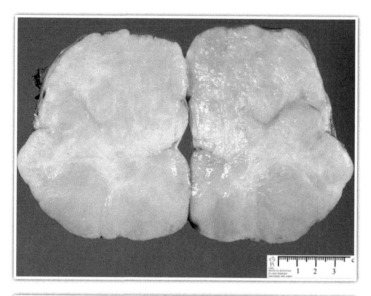

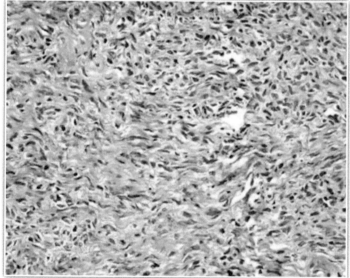

28

정답 Fibroma

해설 **Fibroma**

1. Closely packed spindle cells in "feather-stitched" or storiform pattern
2. May have hyaline bands and edema, no atypia

참고 *Final Check 병리 79 page*

29 다음은 난소의 사진과 조직병리 소견이다. 진단명을 쓰시오.

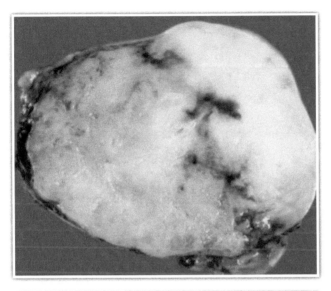

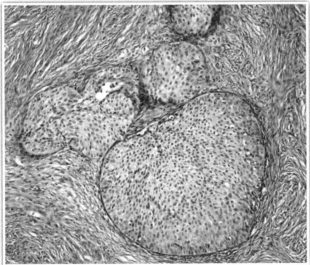

29

정답 Brenner tumor, benign

해설 Brenner tumor, benign

1. Solid and cystic nests of urothelium—like cells surrounded by abundant dense, fibrous stroma
2. Epithelial cells have sharp outlines
3. Cells are uniform, polygonal with pale cytoplasm, small but distinct nucleoli
4. Frequent microcysts within epithelial nests

참고 *Final Check 병리 76 page*

30 다음은 난소의 조직병리 사진이다. 진단명을 쓰시오.

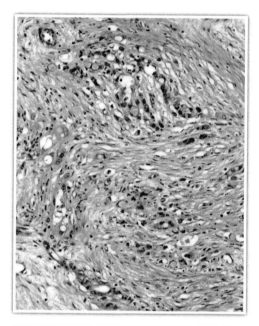

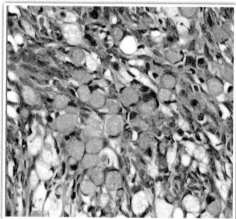

30

정답 Krukenberg tumor

해설 **Krukenberg tumor**

1. Multiple nodules separated by normal stroma in small tumors and focally in large tumors
2. More cellular at periphery and edematous, gelatinous centrally
3. Mucin-producing signet-ring cells
4. Intracytoplasmic mucin : commonly vascular space invasion
5. May have marked stromal proliferation with storiform growth and variable luteinization
6. Frequently focal tubule, glands and cysts

참고 *Final Check 병리 93 page*

31 다음은 난소의 조직병리 사진이다. 진단명을 쓰시오.

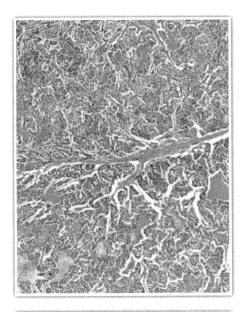

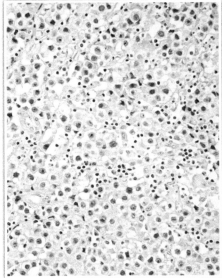

31

정답 Dysgerminoma

해설 Dysgerminoma

1. Large round, ovoid or polygonal cells having abundant, clear, very pale-staining cytoplasm
2. Large and irregular nuclei with prominent nucleoli
3. Fibrous septa with extensive infiltration of lymphocytes, plasma cells

참고 *Final Check 병리 89 page*

32 다음은 난소와 조직병리의 사진이다. 진단명을 쓰시오.

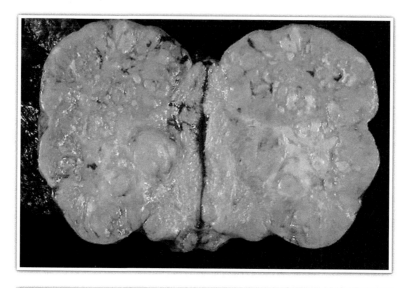

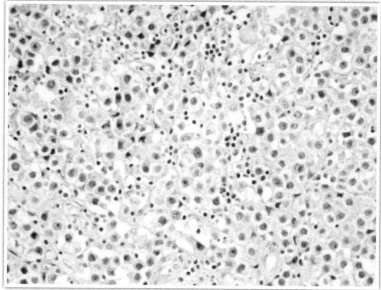

32

[정답] Dysgerminoma

[해설] Dysgerminoma

1. Large round, ovoid or polygonal cells having abundant, clear, very pale–staining cytoplasm
2. Large and irregular nuclei with prominent nucleoli
3. Fibrous septa with extensive infiltration of lymphocytes, plasma cells

[참고] *Final Check 병리 89 page*

33 다음은 난소의 조직병리 사진이다. 진단명을 쓰시오.

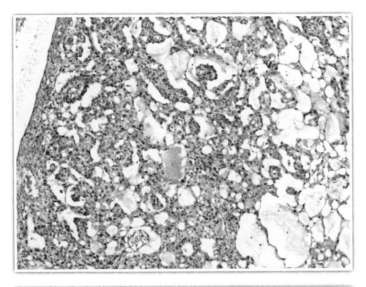

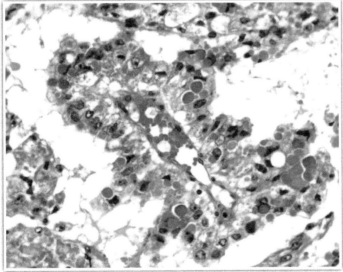

33

정답 Endodermal sinus tumor

해설 **Endodermal sinus tumor**

1. Schiller–Duval body : Central blood vessel enveloped by germ cells within a space similarly lined by germ cells, resembles glomerulus
2. Hyaline droplets present in all tumors
3. Numerous patterns

참고 *Final Check 병리/ 90 page*

34 다음은 수술 후 난소와 조직병리의 사진이다. 진단명을 쓰시오.

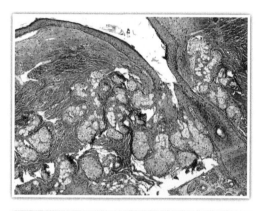

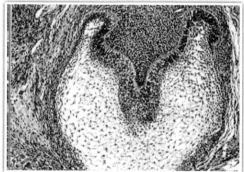

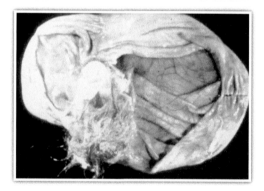

34

정답 Mature teratoma

해설 **Mature teratoma**

1. Ectodermal structures in 100%, mesodermal in 93%, endodermal in 71%
2. Skin and glial tissue common
3. Still considered mature if microscopic foci of immature tissue

참고 *Final Check 병리 91 page*

35 다음은 난소의 조직병리 사진이다. 진단명을 쓰시오.

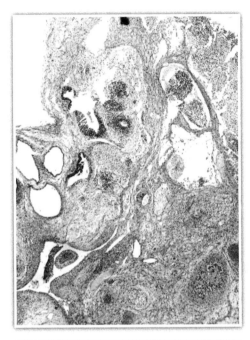

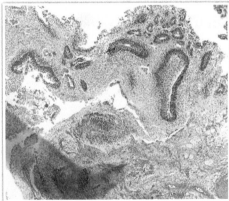

35

정답 Immature teratoma

해설 **Immature teratoma**

1. Mixture of mature and immature elements
2. Immature : embryonal—type tissue
3. Neuroepithelial tubules & rosettes admixed with hypercellular glia with numerous mitoses
4. Immature cartilage, bone, muscle, glands
5. Embryonal endodermal element

참고 *Final Check 병리 92 page*

36 다음은 자궁의 병리조직 사진이다. 진단명을 쓰시오.

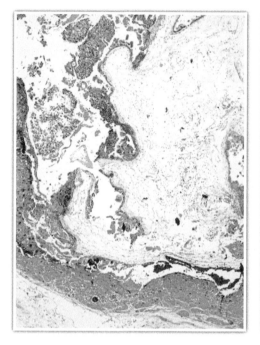 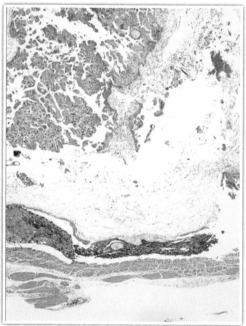

36

정답 Invasive mole

해설 **Invasive mole**

1. Molar villi with trophoblast in myometrium, or extrauterine sites
2. Less conspicuous hydropic villi than non-invasive mole
3. Distant metastasis : Presence of molar villi confined within blood vessel without extension into adjacent tissue

참고 *Final Check 병리 132 page*

37 다음은 자궁의 조직병리 소견이다. 진단명을 쓰시오.

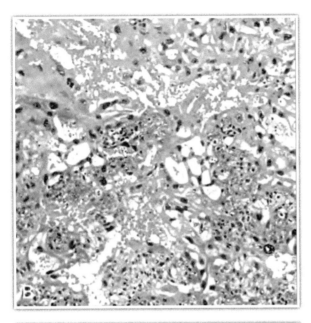

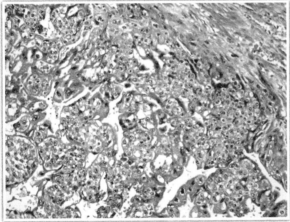

37

[정답] Choriocarcinoma

[해설] Choriocarcinoma

1. Biphasic growth with syncytotrophoblast and cytotrophoblast
2. Lack of blood vessel formation in tumor center
3. Intricate pseudovascular network & blood—lake lined by trophoblast, not endothelial cells
4. Pseudovascular channels without stromal support
5. Hemorrhage, necrosis and vascular invasion

[참고] *Final Check 병리 133 page*

CHAPTER 02

부인과 영상 문제

01 자궁경부암으로 근치적 자궁절제술 및 골반 림프절절제술을 시행 받은 환자가 대퇴부를 안쪽으로 모으기 어려움을 호소하였다. 수술 중 손상되었을 것으로 생각되는 신경(A)을 쓰고, 아래 그림에서 그 구조물(B)을 고르시오.

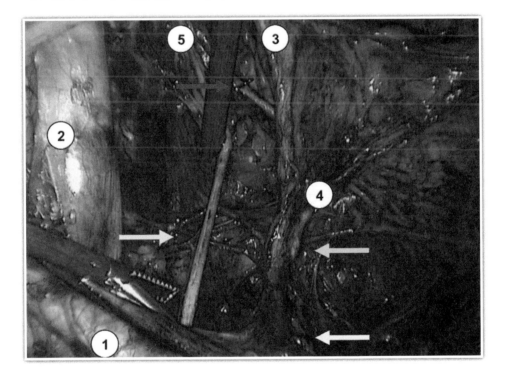

01

정답 (A) Obturator nerve

(B) ⑤

해설

1. External iliac artery

2. External iliac vein

3. Internal iliac artery

4. Uterine artery

5. Obturator nerve

참고 *Final Check 부인과 12 page*

02 Laparoscopic radical hysterectomy 중 박리를 시행한 사진이다. Lymph node dissection 시 5번 구조물의 명칭을 쓰시오.

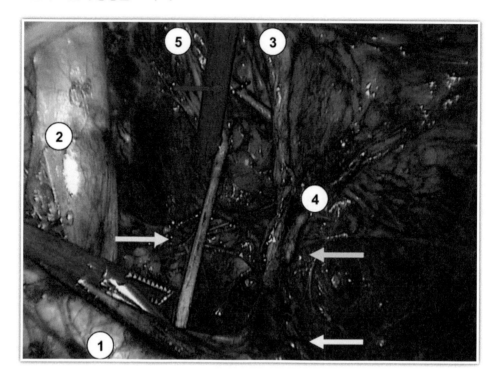

02

정답 Obturator nerve

해설

1. External iliac artery
2. External iliac vein
3. Internal iliac artery
4. Uterine artery
5. Obturator nerve

참고 *Final Check 부인과 12 page*

03 다음 영상을 보고 자르고 있는 구조물의 이름을 쓰시오.

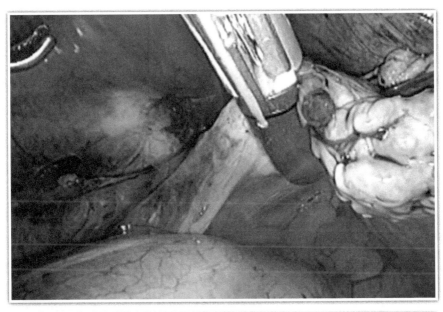

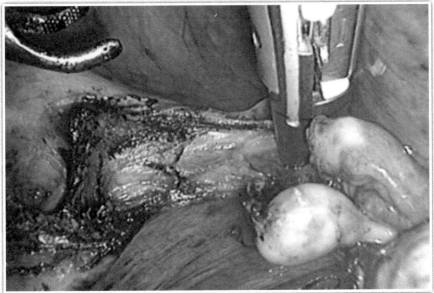

03

정답 Infundibulopelvic ligament

해설

참고 *Final Check 부인과 18 page*

04 Laparoscopy상 보이는 3번 구조물의 이름을 쓰시오.

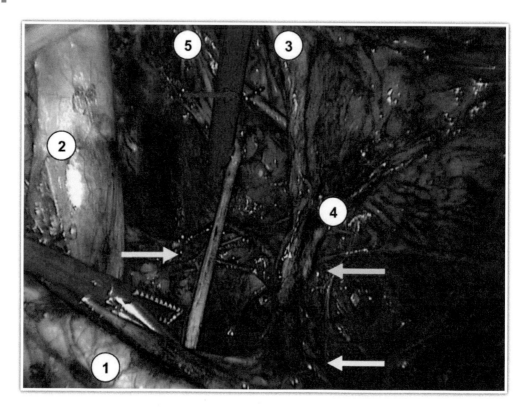

04

정답 Internal iliac artery

해설
1. External iliac artery
2. External iliac vein
3. Internal iliac artery
4. Uterine artery
5. Obturator nerve

참고 *Final Check 부인과 10 page*

05 다음 영상에서 4번 구조물의 이름을 쓰시오.

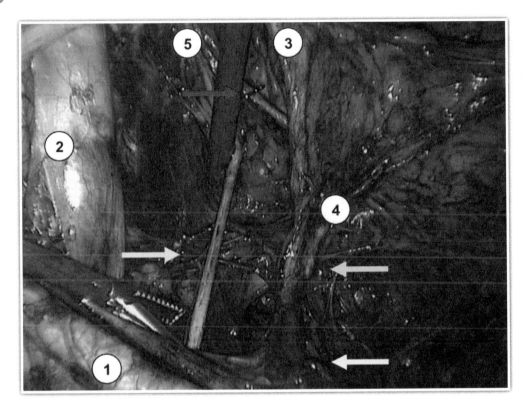

05

[정답] Uterine artery

[해설]

1. External iliac artery
2. External iliac vein
3. Internal iliac artery
4. Uterine artery
5. Obturator nerve

[참고] *Final Check 부인과 10 page*

06 다음 혈관 조영술 영상을 보고 화살표가 가리키는 혈관의 이름을 쓰시오.

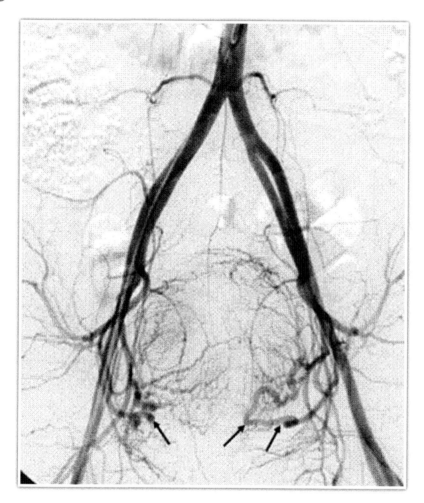

06

정답 Uterine artery

해설 Internal iliac artery branch의 anterior division

1. Obturator artery
2. Internal pudendal artery
3. Umbilical artery
4. Superior, middle, inferior vesical artery
5. Middle rectal(hemorrhoidal) artery
6. Uterine artery
7. Vaginal artery
8. Inferior gluteal artery

참고 *Final Check 부인과 10 page*

07 다음 사진을 보고 (A) 혈관의 이름을 쓰시오.

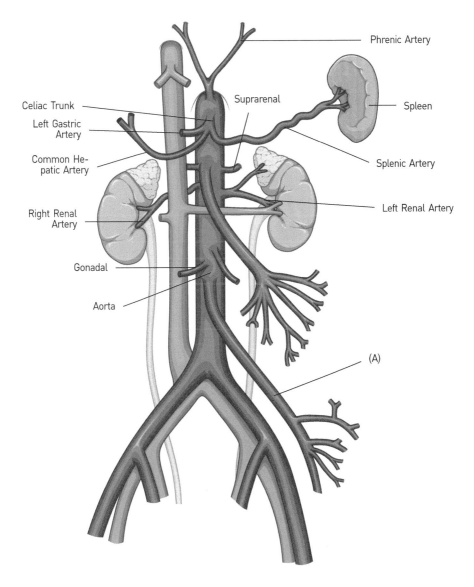

07

정답 Inferior mesenteric artery

해설 **Inferior mesenteric artery**

1. Origin : Arises from the abdominal aorta anterior to the L3 vertebral body
2. Course : Anteriorly to the aorta and then passes to the left as it continues inferiorly
3. Branches : Lt. colic, sigmoid, sup. rectal artery

참고 *Final Check 부인과 9 page*

08 다음 Pap과 colposcopy 소견을 보고 진단명을 쓰시오.

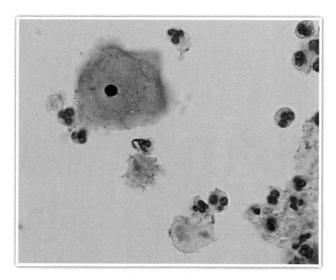

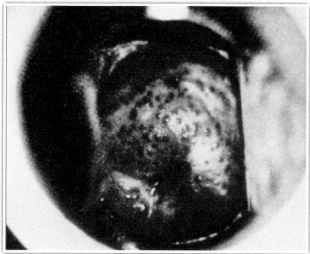

08

정답 Trichomonas vaginitis

해설 **Trichomonas vaginitis**

1. Pap smear
   a. Gray—green round or elliptical structures poorly preserved
   b. Eccentrically located round nuclei
2. Colposcopy
   a. Strawberry cervix
   b. Profuse, purulent, malodorous discharge

참고 *Final Check 부인과 120 page*
Final Check 병리 1 page

09 다음과 같은 자궁내막 영상을 얻을 수 있는 진단법을 쓰시오.

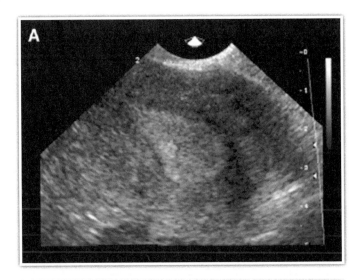

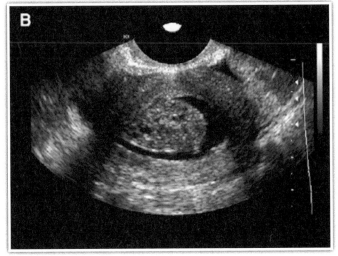

09

[정답] 초음파 자궁조영술(sonohysterogram)
[해설] **초음파 자궁조영술(sonohysterogram)**
1. 생리식염수를 자궁 내에 넣어가면서 시행하는 초음파
2. 점막하 자궁근종의 진단에 유용
3. 자궁내막 용종과 같은 다른 내막질환과의 감별에 유용
[참고] *Final Check 부인과 92 page*

10 다음 영상을 보고 진단명을 쓰시오.

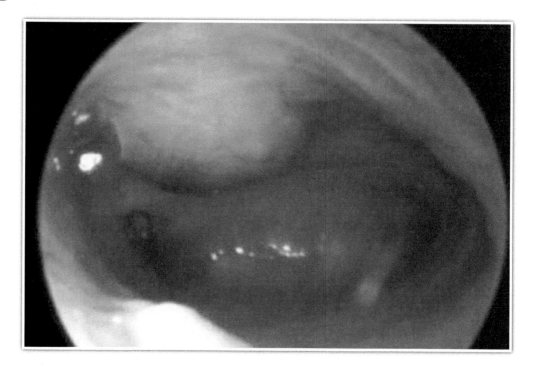

10

[정답] 점막하 근종(submucosal myoma)

[해설] **점막하 근종(submucosal myoma)**

1. 자궁근종의 5~10%
2. 자궁내막으로 돌출한 형태
3. 월경과다, 부정출혈을 흔히 동반
4. 자궁강의 형태를 변화시켜 불임이나 유산에도 영향

[참고] *Final Check 부인과 93 page*

11 다음 사진들을 보고 진단명을 쓰시오.

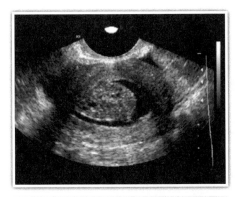

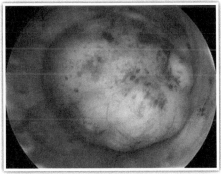

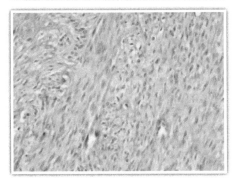

11

[정답] 점막하 근종(submucosal myoma)

[해설] **점막하 근종(submucosal myoma)**

1. 자궁근종의 5~10%
2. 자궁내막으로 돌출한 형태
3. 월경과다, 부정출혈을 흔히 동반
4. 자궁강의 형태를 변화시켜 불임이나 유산에도 영향

[참고] *Final Check 부인과 93 page*
Final Check 병리 50 page

12 다음은 sonohysterogram과 hysteroscopy 소견이다. 이 환자의 진단명을 쓰시오.

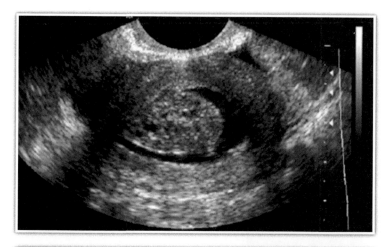

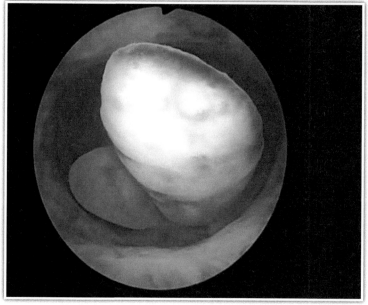

12

정답 자궁내막용종(endometrial polyp)

해설 자궁내막용종(endometrial polyp)의 초음파 소견
1. 두터운 자궁내막(thick endometrium)
2. 유경성 또는 고착된 양상(pedunculated or sessile pattern)
3. 영양혈관(feeder blood vessels)
4. Saline infusion sonohysterogram으로 확인

참고 Final Check 부인과 412 page

13 다음은 hysteroscopy와 조직 소견이다. 이 환자의 진단명을 쓰시오.

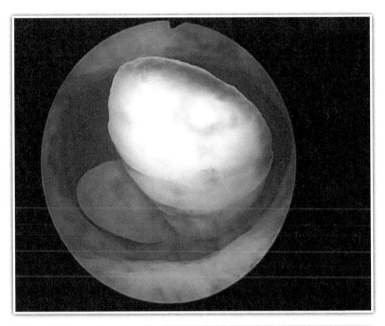

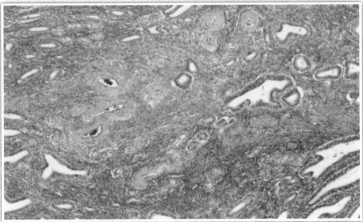

13

[정답] 자궁내막용종(endometrial polyp)

[해설] **자궁내막용종(Endometrial polyp)**

1. Polypoid shape
2. Fibrotic stroma
3. Thick—walled feeding vessels
4. Glands are proliferative or inactive but usually peripheral and are typically angulated

[참고] *Final Check 부인과 412 page*
Final Check 병리 39 page

14 다음 영상을 보고 진단명을 쓰시오.

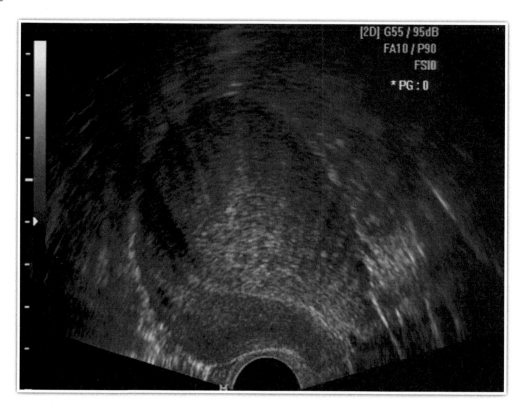

14

정답 자궁선근증(adenomyosis)
해설 자궁선근증(adenomyosis)의 초음파 소견
1. Ill-defined margins
2. Minimal mass effect
3. Lack of contour abnormality
4. Elliptical shape of uterus
5. Pseudowidening of endometrium
6. Poorly defined endometrial junction
7. Asymmetric thickening of uterus
참고 *Final Check 부인과 98 page*

15 다음 MRI와 조직병리 소견을 보고 올바른 진단명을 쓰시오.

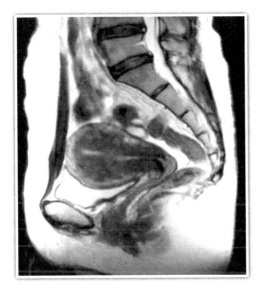
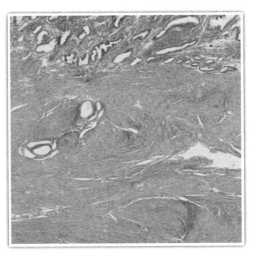

15

정답 자궁선근증(adenomyosis)

해설 자궁선근증(adenomyosis)의 MRI 소견

1. Most diagnostic tool
2. Thickened junctional zone
3. Hyperintense foci on T2WI
   a. Heterotopic endometrial tissue
   b. Cystic dilated glands
   c. Hemorrhagic foci
4. Hyperintense foci on T1WI
   a. Hemorrhagic areas
   b. Cystic adenomyosis

참고 *Final Check 부인과 98 page*
  Final Check 병리 40 page

16 다음 영상과 조직을 보고 진단명을 쓰시오.

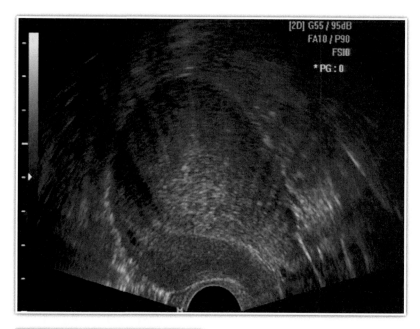

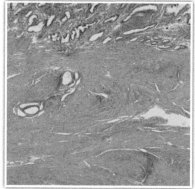

16

정답 자궁선근증(adenomyosis)

해설 자궁선근증(adenomyosis)의 초음파 소견

1. Ill-defined margins
2. Minimal mass effect
3. Lack of contour abnormality
4. Elliptical shape of uterus
5. Pseudowidening of endometrium
6. Poorly defined endometrial junction
7. Asymmetric thickening of uterus

참고 *Final Check 부인과 98 page*
Final Check 병리 40 page

17 초음파와 MRI상 다음과 같은 소견이 보였을 때 올바른 진단명을 쓰시오.

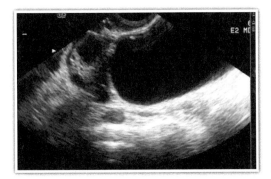 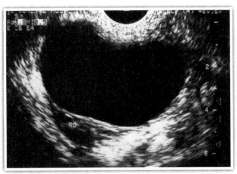

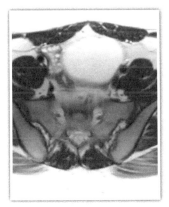 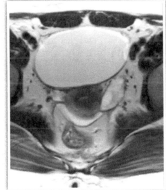 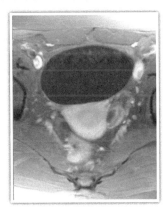

17

정답 부난관낭종(paraovarian cyst)

해설 부난관낭종(paraovarian cyst)의 초음파 소견

1. 얇은 벽(thin wall)
2. 일측성(unilocular)
3. 기능성낭종과 구별이 불가능(indistinguishable from functional cyst)
4. 월경주기에 대한 영향이 없음(no change with menstruation cycle)
5. 동측 난소를 확인 가능(detection of ipsilateral ovary)

참고 *Final Check 부인과 155 page*

18 다음은 불임 여성의 자궁 나팔관 조영술 영상과 복강경 사진이다. 이 환자의 진단명을 쓰시오.

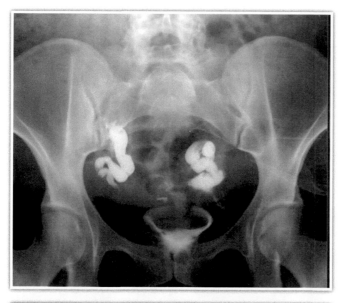

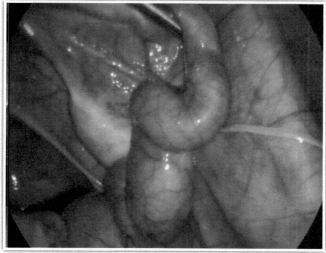

18

[정답] 난관수종(hydrosalpinx)

[해설] **난관수종(Hydrosalpinx)**

1. 난관의 끝 부분이 막혀서 난관 내 물이 고인 상태

2. 난관수종 내 액체가 배아의 발달과 착상을 방해

   a. 체외수정 전 난관절제술을 먼저 시행 시 체외수정 임신율과 출생률이 유의하게 증가

   b. 복강경하 난관폐쇄술 시행 후 체외수정을 해도 임신율 향상 가능

[참고] *Final Check 부인과 377 page*

19 다음 영상을 보고 진단명을 쓰시오.

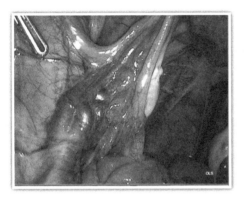 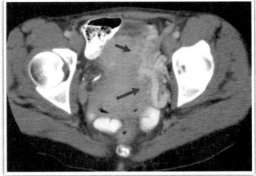

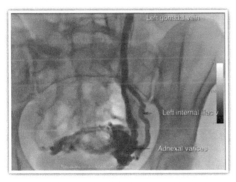 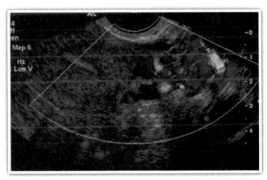

19

[정답] 골반 울혈(pelvic congestion)

[해설] 골반 울혈(Pelvic congestion)

1. 만성 골반통의 원인으로 세번째로 흔한 질환
2. 골반 복벽 및 정맥의 울혈, 과민성 등에 의해 장 운동, 성관계 시 통증을 느끼는 것
3. 진단
   a. 골반 정맥염주(pelvic varicosity)를 확인
   b. 정맥조영술, 골반 초음파, MRI, CT, 복강경

[참고] *Final Check 부인과 111 page*

20 다음 영상을 보고 진단명을 쓰시오.

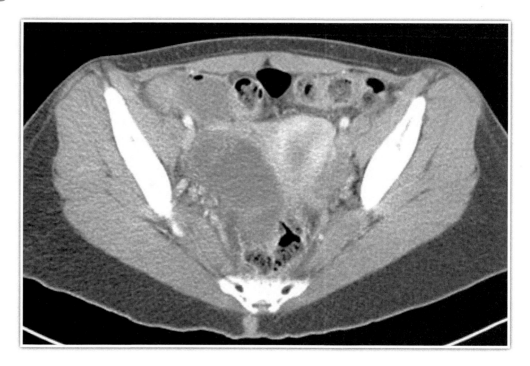

20

정답 난관난소농양(tubo-ovarian abscess)

해설 난관난소농양(Tubo-ovarian abscess)

1. 급성 난관염의 후유증
2. 보통 일측성, 다방낭(multilocular)으로 발생
3. 초음파, CT : 정확한 진단을 위해 시행

초음파	CT & MRI
• 초기에는 정상 소견 • Thickening of fallopian tubes • Incomplete septa in the dilated tubes • Multilocular, thick-walled cyst • Pyoslapinx or hydrosalpinx • Swollen & polycystic-appearance ovary	• 초기에는 정상 소견 • Multilocular, thick-walled, fluid-density mass • Hydrosalpinx or pyosalpinx • Thickening of mesoslapinx & ligaments • Regional infiltration • Swollen & polycystic-appearance ovary • Lymphadenopathy

참고 Final Check 부인과 105 page

21 다음 환자의 복강경 소견과 조직검사 소견을 보고 진단명을 쓰시오.

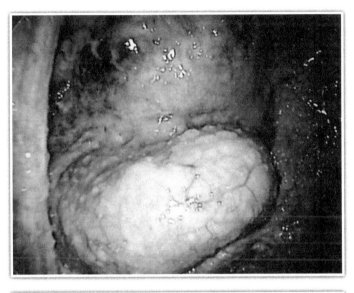

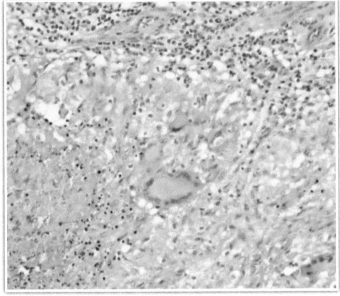

21

정답 Pelvic tuberculosis

해설 Pelvic tuberculosis

1. Dilated left fallopian tube with seeding
2. Pathology : Granuloma, including multinucleated giant cells

참고 *Final Check 병리 97 page*

22 다음 영상을 보고 진단명을 쓰시오.

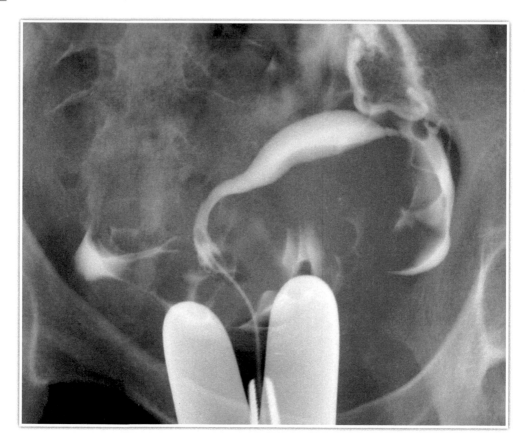

22

정답 단각자궁(unicornuate uterus)

해설 Unicornuate uterus의 HSG finding

1. One horn of uterus
2. Small cervix
3. Poorly developed contralateral vaginal fornix
4. Location of catheter within the cervical canal

참고 Final Check 부인과 15 page

23 다음 영상을 보고 진단명을 쓰시오.

 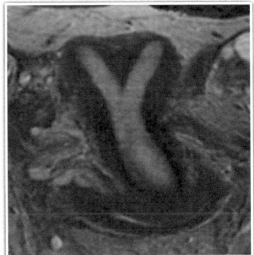

23

[정답] Septate uterus

[해설] **Septate uterus**

1. Hysterosalpingography 소견
   a. Two separate uterine horns
   b. Acute angle between the uterine horns
2. MRI 소견
   a. Normal or near normal fundal contour
   b. Normal intercornual distance
   c. Fundal notch should <1 cm
   d. Muscle superiorly & fibrous tissue inferiorly

[참고] *Final Check 부인과 16 page*

24 다음 초음파를 보고 진단명을 쓰시오.

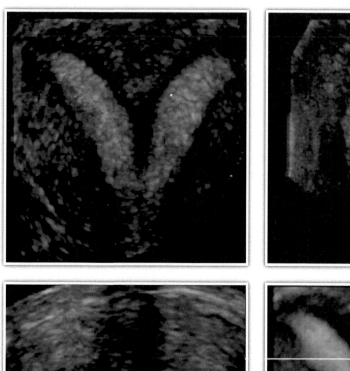
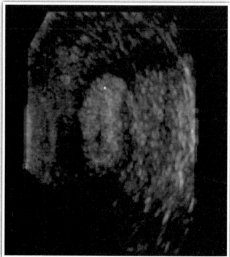
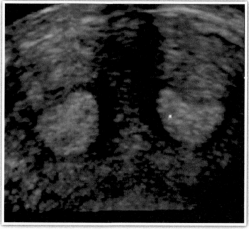
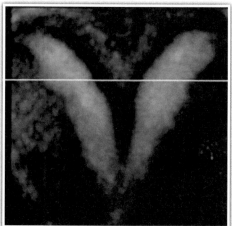

24

정답 Bicornuate uterus

해설 **Bicornuate uterus**의 초음파 소견

1. Intercornual distance 〉4 cm
2. Cleft depth at least 1 cm
3. Single cervix

참고 *Final Check 부인과 16 page*

25 다음 영상을 보고 진단명을 쓰시오.

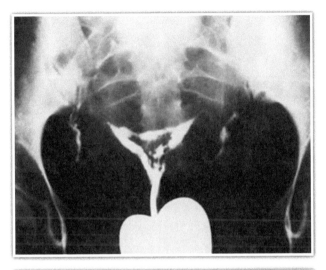

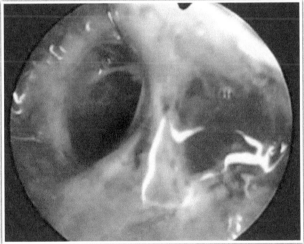

25

정답 아셔만증후군(Asherman syndrome)

해설 **아셔만증후군(Asherman syndrome)의 진단**

1. 자궁난관조영술(HSG) : 자궁강 유착에 의한 다발성 충만결손(multiple filling defect)
2. 자궁경(hysteroscopy) : HSG에 보이지 않는 경미한 유착도 확인 가능
3. 월경 분비물이나 자궁내막조직의 배양 검사

참고 *Final Check 부인과 343 page*

26 다음 영상을 보고 올바른 치료법을 쓰시오.

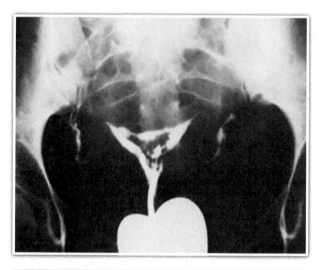

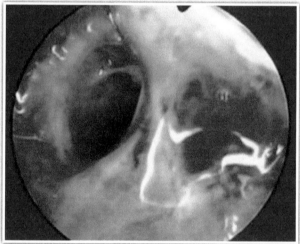

26

정답 **Hysteroscopic resection**

해설 **아셔만증후군(Asherman syndrome)의 치료**

1. 자궁경으로 유착을 제거(hysteroscopic resection)
2. 수술 후 유착의 방지
    a. 소아용 Foley catheter를 7~10일간 자궁 내부에 유치
    b. 광범위 항생제 투여(broad spectrum antibiotics)
    c. 재유착 방지를 위해 2개월간 고용량 estrogen-progesterone 치료

참고 *Final Check 부인과 344 page*

27 수술 과거력이 없는 여성이 다음과 같은 소견을 보인다면 올바른 진단명을 쓰시오.

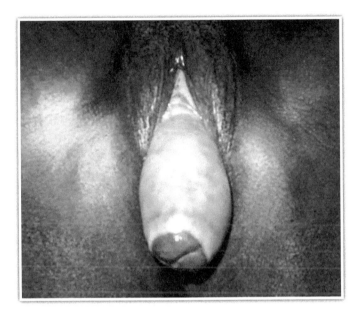

27

정답 자궁탈출증(uterine prolapse)

해설 **자궁탈출증(Uterine prolapse)**

1. 자궁 자체가 질 입구로 내려오는 경우
2. Cardinal ligament나 uterosacral ligament의 접착부인 질 첨단부의 지지가 약해져 발생

참고 *Final Check 부인과 294 page*

28 무월경을 주소로 내원한 환자의 신체 검사와 시행한 CT는 아래와 같았다. 환자의 염색체 검사는 정상이었다면 이 환자의 진단명을 쓰시오.

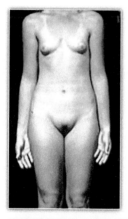
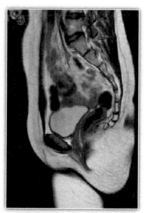
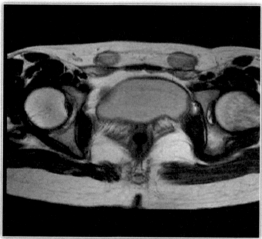

28

정답 안드로겐 무감응(Androgen insensitivity)

해설 안드로겐 무감응(Androgen insensitivity)

1. 유전자형이 남성(XY)이지만 안드로겐 수용체의 기능 결함에 의해 외부 생식기가 여성으로 발달
a. 염색체 : 46,XY
b. Y염색체는 정상
c. 난소는 존재하지 않으며, 고환이 복강 내에 또는 서혜부 탈장의 형태로 확인
2. 임상소견
a. 자궁, 난관, 질 상부 : 미발생
b. 질 : 하부에서 맹관의 형태
c. 치모(pubic hair)와 액와모(axillary hair) : 없거나 희박
d. 유방 : 사춘기에는 testosterone이 estrogen으로 전환되어 충분히 발육
e. 고자 닮은 경향(eunuchoidal tendency) : 큰 키, 긴 팔, 큰 손발

참고 Final Check 부인과 340 page

29 다음 사진과 MRI를 보고 진단명을 쓰시오.

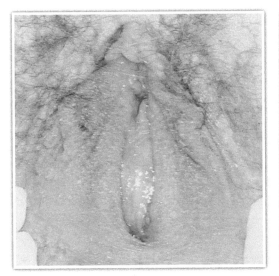 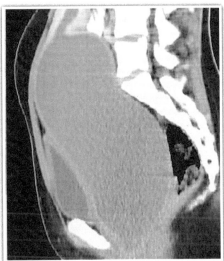

29

정답 처녀막막힘증(imperforate hymen)
해설 **처녀막막힘증(Imperforate hymen)**
1. 월경이 배출되지 않으면서 나타나는 주기적인 통증
2. 질혈종(hematocolpos), 자궁혈종(hematometra), 혈복강, 자궁내막증이 발생
참고 *Final Check 부인과 336 page*

30 다음 시술의 이름은 무엇인가?

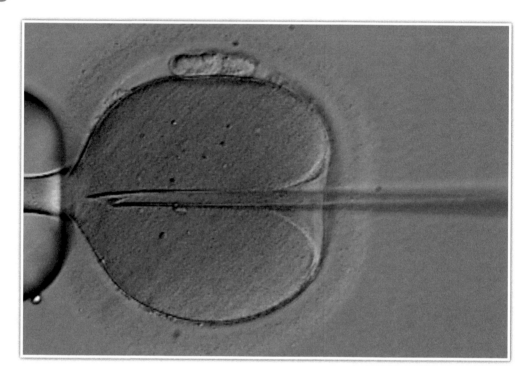

30

정답 난자세포질내 정자주입술(Intracytoplasmic sperm injection, ICSI)

해설 난자세포질내 정자주입술(Intracytoplasmic sperm injection, ICSI)

1. 정자 한 개를 난자 내에 직접 찔러 주입하는 시술

2. 투명대와 난자막이라는 장벽을 극복할 수 있어 정자 특성과 상관없는 높은 수정률

참고 Final Check 부인과 430 page

31 다음 시술의 이름을 쓰시오.

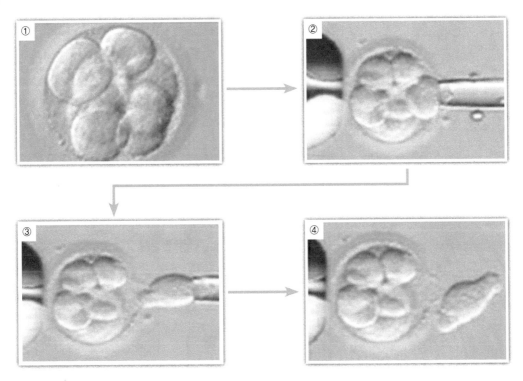

31

[정답] 할구세포생검(Blastomere biopsy)

[해설] 할구세포생검(Blastomere biopsy)

1. 6~8세포기 배아에서 할구세포 1~2개를 생검하여 유전진단하는 방법
2. 8세포기 이전 할구세포 1~2개를 제거하여도 배아 성장 및 발달에는 지장이 없음
3. 부계와 모계로부터 받은 유전적 또는 염색체 구성에 대한 진단이 가능
4. 종류 : 할구흡인법(blastomere aspiration), 할구짜내기법(blow-out)

[참고] *Final Check 부인과 433 page*

32 다음 시술의 이름을 쓰시오.

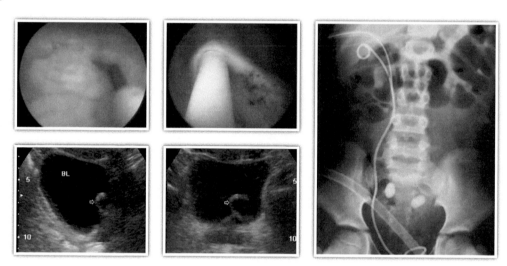

32

정답 Retrograde ureteral stent (Double J stent)

해설 **Ureteral stricture 시 기능 보존을 위한 처치**

1. Retrograde ureteral stent
2. Percutaneous nephrostomy catheter
3. Ureteral reanastomosis
4. Ureteral reimplantation

참고 *Final Check 부인과 509 page*

33 30세 여성이 복강경 수술 10일 후 복통 및 구토를 호소하였다. 내원 당시 영상검사 소견이 아래와 같다면, 가장 가능성이 높은 진단명을 쓰시오.

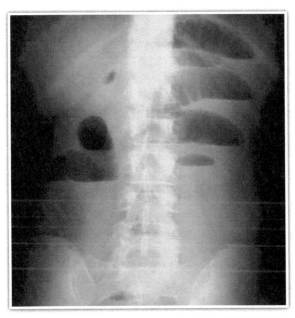

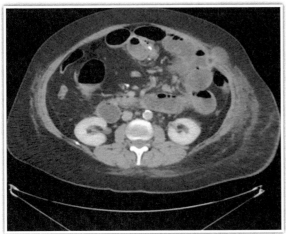

33

[정답] 투관침 부위 장 탈장으로 인한 장 폐쇄(trocar site bowel herniation with obstruction)

[해설] 장 폐쇄(Intestinal obstruction)

1. 여성에서의 흔한 원인 : 수술 후 유착, 탈장, 염증성 장질환, 장이나 난소의 악성 종양
2. X−ray : Bowel distension and the presence of multiple gas−fluid levels
3. Abd. CT : Trocar site hernia in the left upper quadrant

[참고] *Final Check 부인과 107 page*

34 다음 영상을 보고 진단명을 쓰시오.

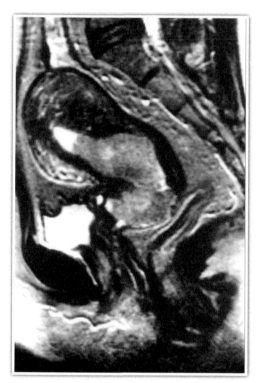 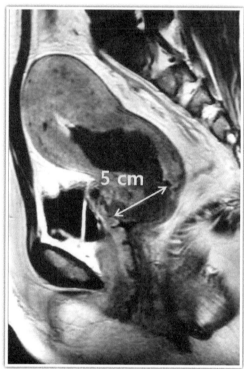

34

정답 Cervical cancer IIA2

해설 자궁경부암(Cervical cancer)

1. II : 종양이 자궁 밖으로 침윤, 질 하부(lower) 1/3 및 골반벽까지 침윤 안된 경우
2. IIA : 종양이 질 상부(upper) 2/3에 국한(자궁주위조직 침윤 없음)
3. IIA2 : 종양의 최대 직경(greatest dimension) ≥4 cm

참고 Final Check 부인과 502 page

35

40대 여성이 질 출혈을 주소로 내원하였다. 시행한 MRI와 cystoscopy 소견이 아래와 같다면 이 여성의 병기를 쓰시오.

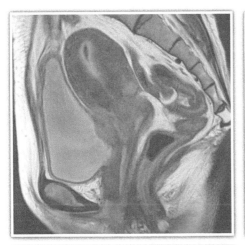
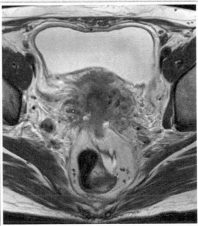
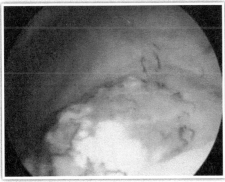

- Tumor size : 6.7 cm, parametrial invasion(+)

- Tumor invasion to bladder wall with mucosa

- Tumor invasion to both ureter with D-J catheter insertion

35

[정답] Cervical cancer IVA

[해설] 자궁경부암(Cervical cancer)

1. Ⅳ : 종양이 골반(true pelvis) 밖으로 진행 또는 방광이나 직장의 점막 침윤(조직학적으로 진단)

2. ⅣA : 인접 골반장기(adjacent pelvic organs) 침윤

[참고] Final Check 부인과 502 page

36 다음 영상을 보고 진단명을 쓰시오.

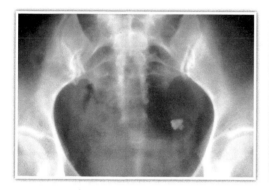 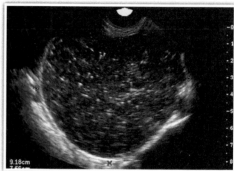

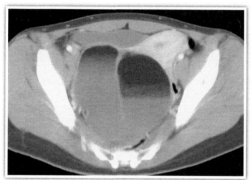 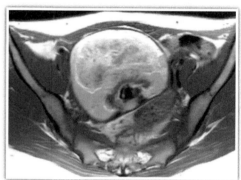

36

정답 성숙 기형종(Mature teratoma)

해설 성숙 기형종(mature teratoma)의 초음파 소견

1. White ball (hair and sebum)
2. Long, echogenic (white) lines and echogenic dots in cyst fluid (hair floating in non fatty fluid)
3. Shadowing : Cyst 크기 측정을 힘들게 함
4. Rokitansky nodule or dermoid plug : Cyst cavity 내로 돌출되어 나온 융기된 부위

참고 Final Check 부인과 554 page

37 5년 전 난소종양으로 수술받은 37세 여성이 하복부 불쾌감을 주소로 내원하였다. 시행한 혈액검사에서 CA-125 125 U/mL, β-hCG 8 mIU/mL로 확인되었다. 영상 및 조직검사 소견이 아래와 같다면 가장 가능성이 높은 진단명을 쓰시오.

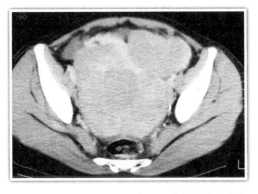
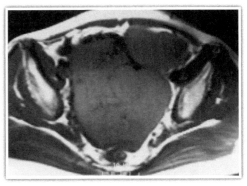
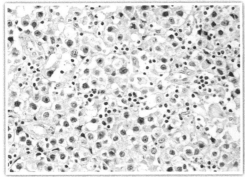
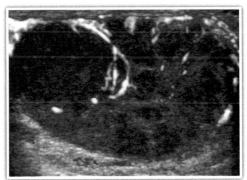

37

정답 미분화세포종(Dysgerminoma)

해설 미분화세포종(Dysgerminoma)

1. A solid mass with small cystic portions
2. Multilobulated solid mass divided by the fibrovascular septa
3. Hypo-or isointense on T2WI
4. Marked enhancement on CT and MR
5. Signal-void, tortuous structures within the septa on MR
6. Prominent arterial flow with the septa on Doppler US

참고 *Final Check 부인과 552 page*

38 다음 초음파와 병리 조직을 보고 진단명을 쓰시오.

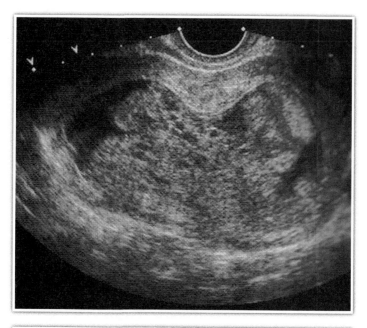

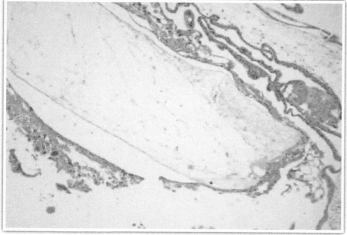

38

정답 완전 포상기태(Complete hydatidiform mole)

해설 완전 포상기태(complete hydatidiform mole)의 초음파 소견

1. 눈보라 양상(snowstorm pattern), 소포 양상(vesicular pattern)
2. 태아 혹은 양수가 보이지 않음
3. 양측 난소에 6 cm 이상의 난포막황체낭(theca lutein cyst)

참고 *Final Check 부인과 586 page*

39 다음 시술의 이름을 쓰시오.

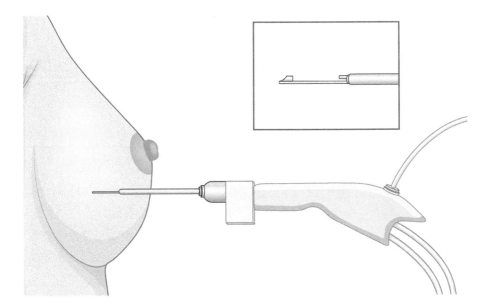

39

정답 진공흡인시술(Mammotome)

해설 **진공흡인시술**(Vacuum assisted procedure, mammotome®)
1. 수술보다 덜 침습적, 충분한 양의 조직 획득 가능, 높은 정확도
2. 확진을 위한 조직검사 방법
3. 시행 방법
   a. 14~18 gauge 바늘이 달린 biopsy gun을 이용하여 4~5조각의 조직을 획득
   b. 바늘이 들어갈 부위를 소독, 국소마취 후 피부절개를 시행
   c. 최소 2회 이상 반복하며, 출혈 방지를 위해 상처부위를 압박

참고 *Final Check 부인과 608 page*

40 다음 시술의 이름은 무엇인가?

40

정답 천골질고정술(sacrocolpopexy)

해설 **천골질고정술(sacrocolpopexy)**

1. 적응증
   a. 상대적으로 짧은 질의 탈출증
   b. 질 원개 탈출증
   c. 건강하고 성적으로 활발한 여성
2. 수술 전 검사로 말단부 결함이나 긴장성 요실금 배제가 필요

참고 *Final Check 부인과 301 page*

41 다음 그림을 보고 이 시기의 명칭을 쓰시오.

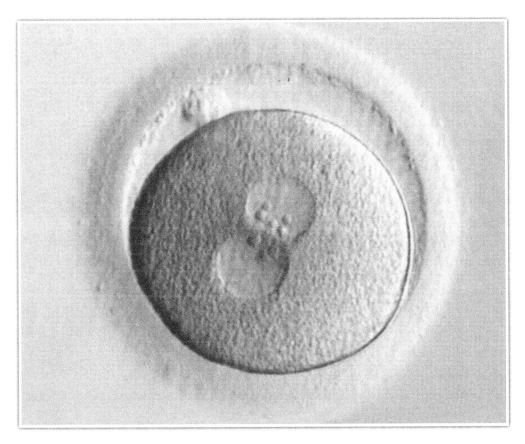

41
[정답] 2개의 전핵(two pronuclei)
[해설] **정상적인 수정**
1. 난자 중앙에 2개의 전핵과 제2극체가 관찰
2. 전핵(pronucleus) : 정자가 난자에 들어가 융합하기 전의 정핵과 난핵
3. 제2극체 : 난모세포가 감수 분열을 통해 생성하는 세포 중의 하나로, 똑같은 반수세포이지만 난자에 비해 그 크기가 매우 작은 세포
[참고] *Final Check 부인과 426 page*

42 원발성 무월경을 주소로 내원한 24세 여성의 복강경 수술 소견이 다음과 같다면 가장 적절한 진단명을 쓰시오.

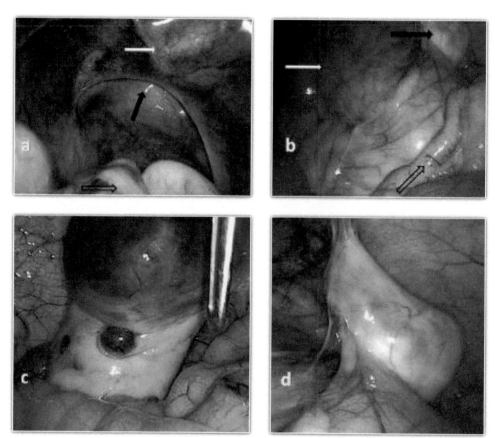

42

[정답] MRKH 증후군(Mayer-Rokitansky-Küster-Hauser syndrome)

[해설] MRKH 증후군(Mayer-Rokitansky-Küster-Hauser syndrome)

1. Müllerian duct(paramesonephric duct)의 무형성 또는 형성저하
   a. 자궁과 난관이 없고, 질도 없거나 안쪽으로 형성이 저하
   b. 난소 : 뮐러관 구조가 아니므로 정상적으로 존재하며 기능도 정상적
2. 염색체검사 : 46,XX (정상 여성)
3. 임상소견
   a. 유방의 발육과 음모의 발달은 정상 여성과 같으며 성장과 발달에 있어서도 정상적
   b. 의심증상 : 정상 여성 외형 + 원발성 무월경 + 비정상 질 구조

[참고] *Final Check 부인과 338 page*

43 복강경 수술 후 고탄산혈증이 생긴 여성의 흉부 단순 촬영 사진이 다음과 같았다. 이 여성의 진단명을 쓰시오.

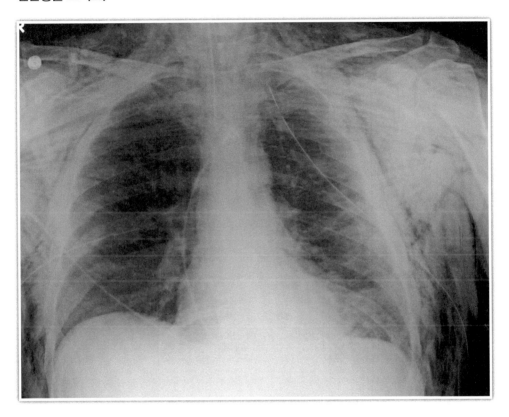

43

정답 피하기종(subcutaneous emphysema)

해설 **피하기종(Subcutaneous emphysema)**

1. 대개 피하기종(subcutaneous emphysema)이지만 심할 경우 사지, 목, 종격까지 발생
2. 경증의 피하기종(mild subcutaneous emphysema)
    a. 복강 내 가스의 배출을 시행하면 증상이 빨리 호전
    b. 수술 중과 후에 특별한 치료가 필요 없음
3. 유출이 목까지 확장된 경우
    a. 수술을 즉각 종료
    b. Chest X-ray 시행
    c. 긴장성 기흉(tension pneumothorax) 발생 시 흉관 또는 구멍이 큰 바늘 삽입

참고 *Final Check 부인과 239 page*

CHAPTER 03

부인과 문제 해결

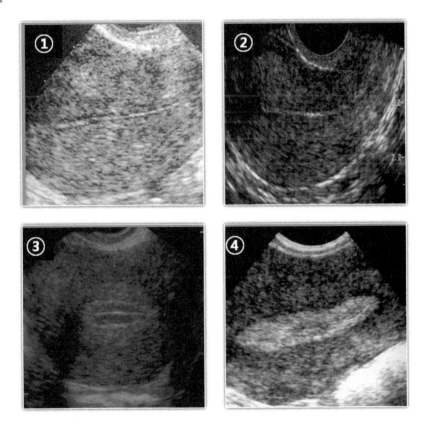

01 다음 중 배란 직전의 자궁 초음파를 고르시오.

01

정답 ③

해설 시기에 따른 초음파 소견
1. Menstrual phase
2. Early proliferative phase
3. Late proliferative or periovulatory phase
4. Secretory phase

참고 *Final Check 부인과 38 page*

02 다음은 정상 월경 주기의 성선자극호르몬과 성호르몬의 혈중 농도를 표시한 그래프이다. 화살표가 가리키는 호르몬을 쓰시오.

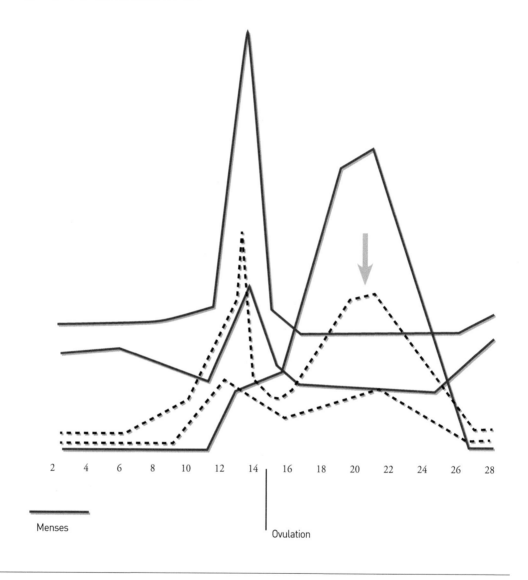

Menses

Ovulation

02

정답 **Estradiol**

해설 **황체기(Luteal phase)**

1. 정의 : 배란부터 생리까지(황체의 형성에서 소멸까지)
2. 평균 길이 : 14일
3. 내분비학적 변화

   a. Progesterone이 합성되며 황체기 중간 절정(mid-luteal peak) 이후 점차 감소

   b. 황체기 후반에 FSH 증가

참고 *Final Check 부인과 36 page*

03

19세 여자 환자가 5일간 지속된 질 출혈을 주소로 내원하였다. 임신검사는 음성이었고, 초음파는 아래와 같았다면 가장 적절한 처치는 무엇인가?

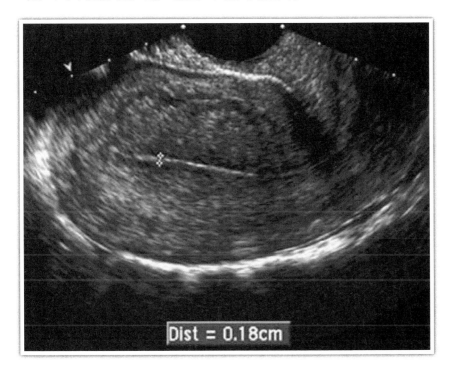

① Clomiphene citrate

② Progestins

③ High dose estrogen

④ Insulin sensitizer

⑤ Gonadotropic hormone

03

정답 ③

해설 **심한 급성 출혈의 외래 치료**

1. 기준 : 정상 혈압 and 혈색소 >10 g/dL
2. 치료법
   a. Premarin (conjugated estrogen) 2.5 mg, 하루 4회, 경구투여
   b. Premarin 2~4회 투여에 반응 없거나 시간당 생리대 하나 이상 사용할 정도의 출혈이면 소파술 시행
   c. 급성 출혈이 진정되면 경구피임제 하루 4정 4일, 하루 3정 3일, 하루 2정 2일, 하루 1정 3주간 투여 → 1주 휴약 후 3주기 경구피임제 투약

참고 *Final Check 부인과 82 page*

04 간헐적인 출혈과 월경과다를 주소로 내원한 27세 여성의 HSG 소견이 아래와 같다면 가장 가능성이 높은 진단명을 쓰시오.

04

정답 점막하 근종(Submucosal myoma)

해설 **점막하 근종(Submucosal myoma)**
1. 자궁근종의 약 5~10%
2. 자궁내막으로 돌출한 형태
3. 월경과다, 부정출혈을 흔히 동반
4. 자궁강의 형태를 변화시켜 불임이나 유산에도 영향
참고 Final Check 부인과 93 page

05 4세 여아가 만성 기저귀 발진을 주소로 내원하였다. 배뇨 시 자주 울었고, 진찰 시 다음 사진과 같은 병변을 확인하였다. 가장 적절한 치료를 고르시오.

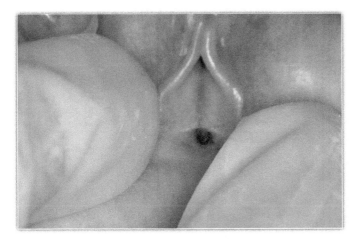

① Reassurance

② Estrogen cream

③ Progesterone oil

④ Temovate ointment

⑤ Cruciate incision

05

정답 ②

해설 음순유착(Labial agglutination)
1. 사춘기 이전의 낮은 에스트로겐 농도 혹은 피부자극으로 인한 만성 염증으로 대음순과 소음순이 중앙선에서 유착되어 발생
2. 빈도 : 사춘기 이전, 특히 영유아에 빈번
3. 치료 : 에스트로겐 크림을 2~4주간 바르면서 유착부위가 얇아지면 국소마취제를 사용 후 분리 시행
참고 Final Check 부인과 141 page

06 14세 여학생이 주기적인 하복부 통증과 일차성 무월경을 주소로 내원하였다. 진찰 소견이 다음 사진과 같다면 이 환자의 진단명을 쓰시오.

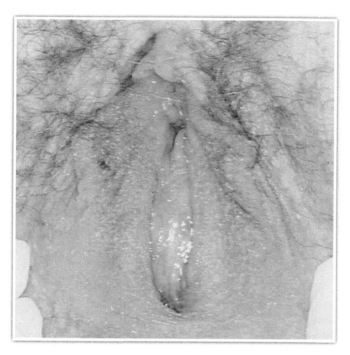

06

정답 처녀막막힘증(imperforate hymen)

해설 **처녀막막힘증(Imperforate hymen)**
1. 월경이 배출되지 않으면서 나타나는 주기적인 통증
2. 질혈종(hematocolpos), 자궁혈종(hematometra), 혈복강, 자궁내막증이 발생
3. 치료 : 처녀막의 십자절개(cruciate incision)

참고 *Final Check 부인과 336, 343 page*

07 15세 여학생이 주기적인 하복부 통증을 주소로 내원하였다. 진찰 소견이 아래와 같다면 치료로 가장 적절한 방법을 쓰시오.

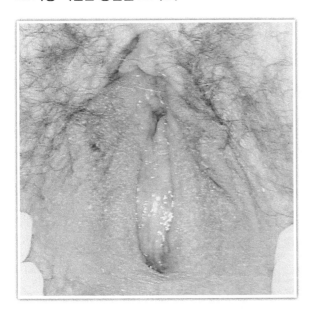

07

정답 처녀막의 십자절개(cruciate incision)

해설 **처녀막막힘증(Imperforate hymen)**

1. 월경이 배출되지 않으면서 나타나는 주기적인 통증
2. 질혈종(hematocolpos), 자궁혈종(hematometra), 혈복강, 자궁내막증이 발생
3. 치료 : 처녀막의 십자절개(cruciate incision)

참고 *Final Check 부인과 336, 343 page*

08 급성 하복통을 주소로 내원한 17세 여성의 초음파 및 복강경 영상이 아래와 같다면 이 환자의
처치로 올바른 것을 고르시오.

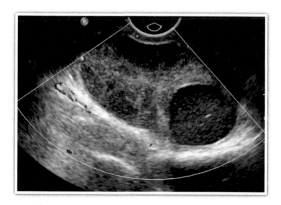

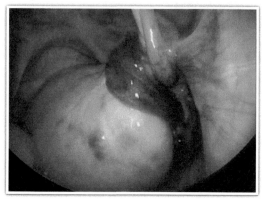

① Aspiration

② Detorsion

③ Salpingectomy

④ Cystectomy

⑤ Oophorectomy

08

정답 ②

해설 자궁부속기 염전(torsion)의 치료
1. 수술(surgery)
   a. 염전 부위를 풀고 낭종절제술을 시행(detorsion with cystectomy)
   b. 반복적인 염전 발생 시 난소고정술(oophoropexy) 시행
2. 괴사된 난소로 보이는 경우라도 난소를 보존하면 이후 생식능과 내분비능이 유지

참고 Final Check 부인과 103 page

09 13세 여학생이 우측 난소의 염전으로 염전부위를 풀고 수술을 마무리하였으나 3일 후 다시 우측 난소 염전이 발생하였다. 이 환자에 대한 처치로 올바른 것을 고르시오.

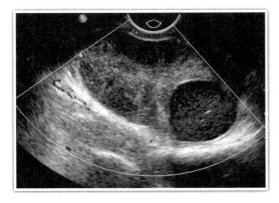

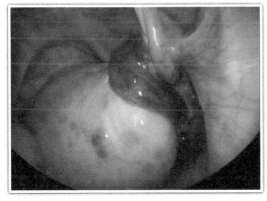

① Aspiration

② Detorsion

③ Salpingectomy

④ Cystectomy

⑤ Oophoropexy

09

정답 ⑤

해설 **자궁부속기 염전(torsion)의 치료**

1. 수술(surgery)
   a. 염전 부위를 풀고 낭종절제술을 시행(detorsion with cystectomy)
   b. 반복적인 염전 발생 시 난소고정술(oophoropexy) 시행
2. 괴사된 난소로 보이는 경우라도 난소를 보존하면 이후 생식능과 내분비능이 유지

참고 *Final Check 부인과 91 page*

10 임신 전 검사에서 특이소견이 없던 임신 10주 산모가 양측 난소의 종괴를 주소로 내원하였다. 시행한 초음파와 MRI 소견이 아래와 같았다면 다음 처치로 가장 적절한 것을 고르시오

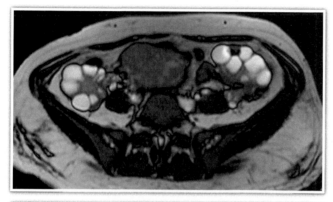

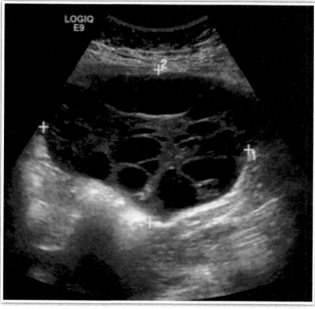

① 경과관찰
② 항생제 투여
③ 난소낭종흡인술
④ 시험적 복강경
⑤ 치료적 유산

10

정답 ①

해설 난포막황체낭종(Theca lutein cyst)
1. 혈중 융모생식샘자극호르몬(hCG)과 연관
2. 임신 중 특히 다태아, 포상기태, 융모막암종, 과배란유도 후에 발생
3. 대부분 저절로 소실되지만 염전 발생 시 통증이나 복수 동반 가능
참고 *Final Check 부인과 154 page*

11

27세 여성이 이차성 불임을 주소로 내원하였다. 환자는 2년 전 자궁외임신으로 수술을 시행하였으며, 수술 당시 골반 내 유착이 심했다는 이야기를 들었다고 하였다. 이 환자의 복강경 소견이 아래와 같다면 이 환자에게 증가할 수 있는 검사 소견을 고르시오.

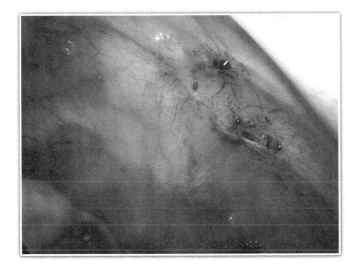

① Estrogen

② CA-125

③ β-hCG

④ Progesterone

⑤ AFP

11

해설 **자궁내막증(endometiosis)과 CA-125**

1. 체강상피(coelomic epithelium)에서 유래한 세포표면항원(cell surface antigen)
2. 선별검사나 진단에 이용하기에는 부적합
3. 특성
   a. 재발 확인 및 치료효과 관찰에 유용
   b. 임상 병기, 통증 등이 CA-125 수치와 비례하지 않음
   c. 채혈시기가 검사 결과에 유의하게 영향을 미침 : 월경 중 가장 높은 농도를 보이고 난포기 중기나 배란기 동안에 가장 낮은 농도

참고 *Final Check 부인과 168 page*

12 월경통을 주소로 내원한 33세 미혼 여성의 복강경 수술 사진이다. 이 환자의 질환에 대한 설명으로 잘못된 것을 고르시오.

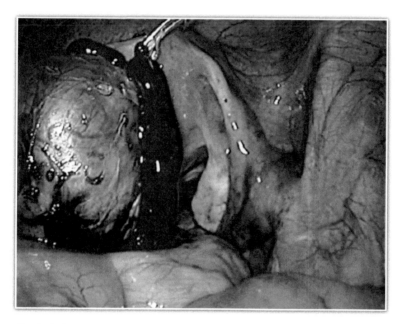

① 이차성 월경통 및 만성 골반통의 가장 흔한 부인과적 원인이다

② 이 질환의 확진은 복강경을 시행하여 병변을 직접 관찰하게 되면 가능하고, 조직검사가 반드시 필요하지는 않다

③ 이 질환의 재발 여부는 혈중 CA-125의 증가로 예측할 수 있으며, 이는 월경주기에 따라 영향을 받을 수 있다

④ 수술 후 재발의 억제에 경구피임제가 도움이 된다

⑤ 수술 후 추가적인 GnRH agonist 사용이 월경통 감소에 도움을 준다

12

정답 ②

해설 **자궁내막증(Endometriosis)**

1. 조직학적 소견 : 확진을 위한 필수적인 방법

2. 샘(gland)조직보다는 기질(stroma)조직이 특징적인 양상

3. 현미경적 자궁내막증(microscopic endometriosis)

   a. 정상 복막에 보이는 조직학적 자궁내막증

   b. 재발 예측에 중요하지만 발견이 드묾

참고 *Final Check 부인과 171 page*

13 만성 골반통을 호소하는 젊은 여성의 복강경 소견이 아래와 같다면 가장 적절한 치료제가 아닌 것을 고르시오.

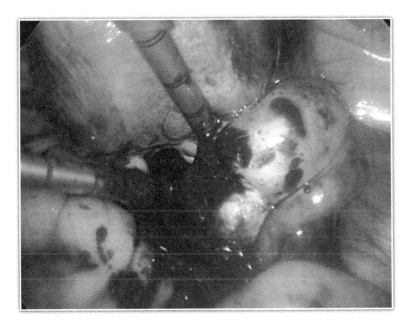

① Gestrinone

② GnRH agonist

③ Danazol

④ Methyltestosterone

⑤ Progestins

13

정답 ④

해설 **자궁내막증(endometriosis)의 내과적 치료**

1. 생식샘자극호르몬분비호르몬 작용제(GnRH agonist)

2. 프로게스틴(Progestins)

3. 경구피임제(Oral contraceptives)

4. 다나졸(Danazol)

5. 게스트리논(Gestrinone)

6. 비스테로이드 소염제(NSAIDs) & COX-2 억제제(COX-2 inhibitor)

7. 기타 : SPRM, SERM, Aromatase inhibitors, GnRH antagonist 등

참고 *Final Check 부인과 174 page*

14 27세 미혼 여성이 성교통과 생리통을 주소로 내원하였다. 시행한 복강경 소견이 아래와 같았다. 이 여성에게 재발 예방을 위한 치료로 적절한 것을 고르시오.

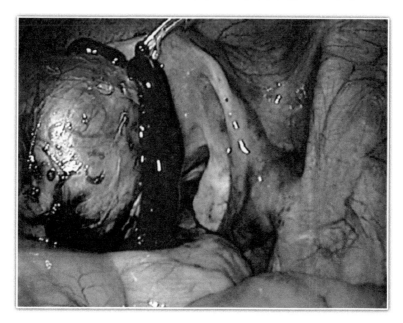

① Estrogen

② Oral contraceptive

③ Methotrexate

④ GnRH antagonist

⑤ Dexamethasone

14

정답 ②

해설 자궁내막증(endometriosis)의 내과적 치료

1. 생식샘자극호르몬분비호르몬 작용제(GnRH agonist)

2. 프로게스틴(Progestins)

3. 경구피임제(Oral contraceptives)

4. 다나졸(Danazol)

5. 게스트리논(Gestrinone)

6. 비스테로이드 소염제(NSAIDs) & COX-2 억제제(COX-2 inhibitor)

7. 기타 : SPRM, SERM, Aromatase inhibitors, GnRH antagonist 등

참고 *Final Check 부인과 174 page*

15 22세 여성이 지속적인 월경통과 성교통을 주소로 내원하였다. 난소의 혹이 보여 시행한 복강 경 소견이 다음과 같았다면 재발 방지를 위한 약물로 가장 적절한 것을 고르시오.

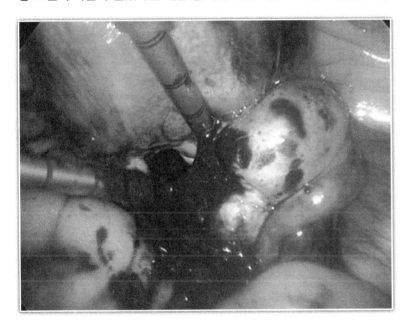

① Methyltestosterone

② Methotrexate

③ Estrogen

④ Progestins

⑤ Gonadotropic hormone

15

정답 ④

해설 자궁내막증(endometriosis)의 내과적 치료

1. 생식샘자극호르몬분비호르몬 작용제(GnRH agonist)
2. 프로게스틴(Progestins)
3. 경구피임제(Oral contraceptives)
4. 다나졸(Danazol)
5. 게스트리논(Gestrinone)
6. 비스테로이드 소염제(NSAIDs) & COX-2 억제제(COX-2 inhibitor)
7. 기타 : SPRM, SERM, Aromatase inhibitors, GnRH antagonist 등

참고 *Final Check 부인과 174 page*

16 생리통이 심한 46세 여성이 내원하였다. 이전에 자궁절제술 및 양측 부속기절제술을 받은 과 거력이 있었고, 시행한 복강경에서 다음과 같은 소견이 보였다면 향후 처치로 가장 적절한 것을 고르시오.

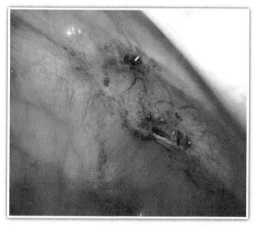

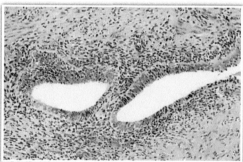

① Estrogen replacement

② Estrogen + Progesterone replacement

③ Danazol

④ Raloxifene

⑤ Methyltestosterone

16

정답 ②

해설 자궁내막증(endometriosis)의 내과적 치료

1. 생식샘자극호르몬분비호르몬 작용제(GnRH agonist)
2. 프로게스틴(Progestins)
3. 경구피임제(Oral contraceptives)
4. 다나졸(Danazol)
5. 게스트리논(Gestrinone)
6. 비스테로이드 소염제(NSAIDs) & COX-2 억제제(COX-2 inhibitor)
7. 기타 : SPRM, SERM, Aromatase inhibitors, GnRH antagonist 등

참고 Final Check 부인과 174 page

17 만성 골반통을 주소로 내원한 30세 여성의 초음파와 MRI 소견이 아래와 같다면 치료에 사용할 수 있는 약제를 고르시오.

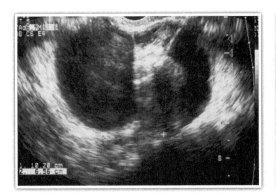 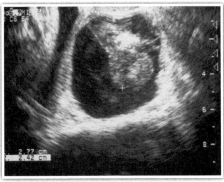

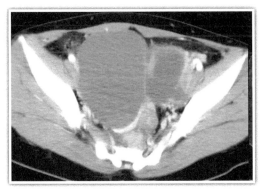 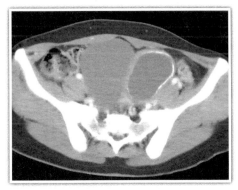

① Clomiphene citrate

② Tamoxifen

③ Spironolactone

④ Aromatase inhibitor

⑤ High dose estrogen

17

정답 ④

해설 자궁내막증(endometriosis)의 소견

초음파 소견	자기공명영상(MRI) 소견
– 내부에 미만성 저에코(diffuse low-echogenecity)를 띤 낭성 구조 – 격막, 낭종벽에서 고형성 결절의 돌출(20%에서 발생)	– Multiple thick-walled cysts – T1 강조영상에서 고신호강도(high signal intensity) – T2 강조영상에서 저신호강도(low signal intensity)

참고 *Final Check 부인과 169 page*

18 만성 골반통을 호소하는 33세 미혼여성의 초음파와 복강경 소견이 아래와 같았다. 이 환자는 피임까지 원하고 있을 때 낭종절제술 후 가장 적절한 치료를 고르시오.

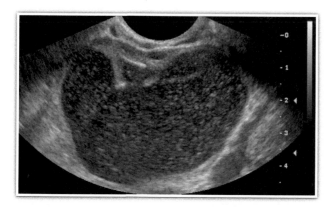

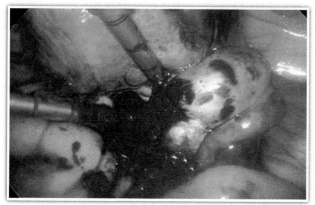

① LNG-IUS

② Hysterectomy

③ Bilateral salpingo-oophorectomy

④ Danazol

⑤ NSAIDs

18

정답 ①

해설 자궁내막증(endometriosis)의 소견

초음파 소견	자기공명영상(MRI) 소견
– 내부에 미만성 저에코(diffuse low-echogenecity)를 띤 낭성 구조 – 격막, 낭종벽에서 고형성 결절의 돌출(20%에서 발생)	– Multiple thick-walled cysts – T1 강조영상에서 고신호강도(high signal intensity) – T2 강조영상에서 저신호강도(low signal intensity)

참고 *Final Check 부인과 169 page*

19 58세 여성이 만성 골반통과 난소의 종양이 의심되어 복강경을 시행하였다. 복강경 소견과 조직검사 소견이 아래와 같다면 이 환자의 처치로 올바른 것을 고르시오.

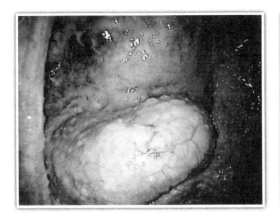 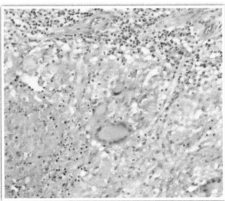

① 항생제
② 항결핵제
③ 양측 난소난관절제술
④ 자궁절제술 및 양측 난관난소절제술
⑤ 수술적 병기설정술 시행

19

정답 ②

해설 **Pelvic tuberculosis**

1. Dilated left fallopian tube with seeding
2. Pathology : Granuloma, including multinucleated giant cells

참고 *Final Check 병리 97 page*

20 36세 여성이 심한 생리통을 주소로 내원하였다. 환자는 평소 흡연을 하고 있었고, 초음파 및 MRI 소견은 아래와 같았다면 가장 효과적인 치료 및 피임법을 고르시오.

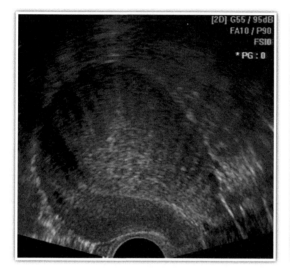
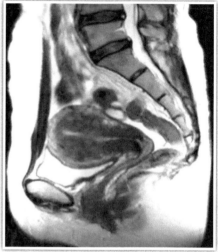

① Mirena

② Implanon

③ Oral contraceptive

④ Spermicide

⑤ Calendar method

20

정답 ①

해설 Levonorgestrel-IUS (LNG-IUS)

1. 프로게스틴(progestin)을 함유하고 있는 실리콘막이 있는 자궁내장치
2. 매일 일정량 자궁강 내에 유리되며 자궁 내에만 주로 작용
3. 전신적인 부작용이 거의 없이 실패율 0.1%의 우수한 피임효과
4. 자궁내막을 얇게 하여 생리양이 감소
5. 빈혈, 생리과다증, 생리통, 생리전증후군에 치료목적으로 사용

참고 Final Check 부인과 45 page

21 38세 여성이 불임을 주소로 내원하였다. 시행한 자궁난관조영술과 복강경 소견이 아래와 같다면 임신을 위한 가장 적절한 방법을 고르시오.

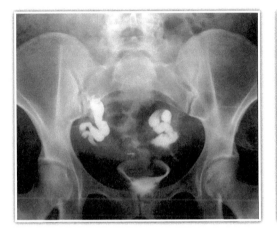 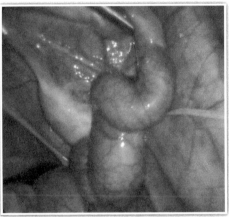

① Observation

② COH-IUI

③ IVF-ET

④ GIFT

⑤ ZIFT

21

정답 ③

해설 난관수종(Hydrosalpinx)

1. 난관의 끝 부분이 막혀서 난관 내 물이 고인 상태
2. 난관수종 내 액체가 배아의 발달과 착상을 방해
   a. 체외수정 전 난관절제술을 먼저 시행 시 체외수정 임신율과 출생률이 유의하게 증가
   b. 복강경하 난관폐쇄술 시행 후 체외수정을 해도 임신율 향상 가능

참고 Final Check 부인과 411 page

22 산과력 0-0-2-0인 30세 여성이 2년 전 난관성형술 후에도 임신이 안되어 내원하였다. 시행한 자궁난관조영술(hysterosalpingography)이 다음과 같았다면 가장 적절한 다음 처치를 고르시오.

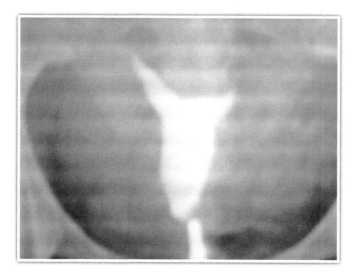

① Clomiphene IUI

② IVF-ET

③ Reversal tuboplasty

④ ICSI

⑤ Observation

22

정답 ②

해설 체외수정(IVF)의 적응증
1. 난관요인 : 난관폐쇄나 난관절제술의 과거력
2. 남성요인
3. 자궁내막증
4. 자궁경부 점액의 이상 및 면역학적 원인
5. 원인불명의 불임

참고 *Final Check 부인과 423 page*

23 3년 전 자궁근종으로 myomectomy를 시행 받은 여성이 10일 전부터 하복통 및 발열을 주소로 내원하였다. 시행한 CT가 아래와 같았다면 이 환자의 진단명을 고르시오.

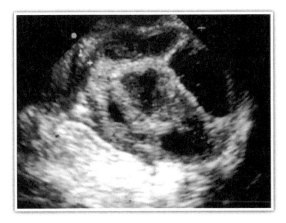

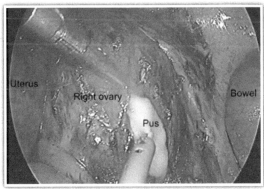

① Tubo-ovarian abscess

② Endometrioma

③ Intraligamental myoma

④ Ovarian torsion

⑤ Mature teratoma

23

정답 ①

해설 난관난소농양(Tubo-ovarian abscess)

1. 급성 난관염의 후유증
2. 보통 일측성, 다방낭(multilocular)으로 발생
3. 초음파, CT : 정확한 진단을 위해 시행

초음파	CT & MRI
• 초기에는 정상 소견 • Thickening of fallopian tubes • Incomplete septa in the dilated tubes • Multilocular, thick-walled cyst • Pyoslapinx or hydrosalpinx • Swollen & polycystic-appearance ovary	• 초기에는 정상 소견 • Multilocular, thick-walled, fluid-density mass • Hydrosalpinx or pyosalpinx • Thickening of mesoslapinx & ligaments • Regional infiltration • Swollen & polycystic-appearance ovary • Lymphadenopathy

참고 *Final Check 부인과 105 page*

24 24세 미혼 여성이 고열과 복통을 주소로 내원하였다. 시행한 검사상 혈압 120/80 mmHg, 심박수 98회/min., 체온 39.2℃, cervical motion tenderness가 있었으며, 초음파 및 CT 소견은 아래와 같았다. 이 환자에 대한 다음 처치로 가장 적절한 것을 고르시오.

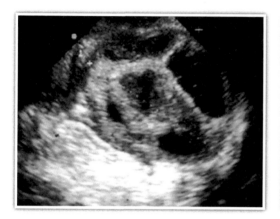 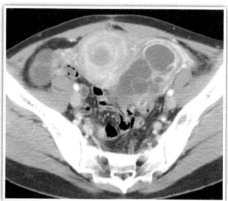

① 수액 투여
② 해열제 및 진통제 투여
③ 항생제 투여
④ 항암제 투여
⑤ 진단적 개복술

24

정답 ③

해설 난관난소농양(Tubo-ovarian abscess)
1. 급성 난관염의 후유증
2. 보통 일측성, 다방낭(multilocular)으로 발생
3. 초음파, CT : 정확한 진단을 위해 시행

초음파	CT & MRI
• 초기에는 정상 소견 • Thickening of fallopian tubes • Incomplete septa in the dilated tubes • Multilocular, thick-walled cyst • Pyoslapinx or hydrosalpinx • Swollen & polycystic-appearance ovary	• 초기에는 정상 소견 • Multilocular, thick-walled, fluid-density mass • Hydrosalpinx or pyosalpinx • Thickening of mesoslapinx & ligaments • Regional infiltration • Swollen & polycystic-appearance ovary • Lymphadenopathy

참고 *Final Check 부인과 105 page*

25 28세 여자가 1주일 전부터 시작된 발열, 하복통과 우상복부 통증을 주소로 왔다. 골반 초음파와 복부 CT 영상이 아래와 같다면 가장 적절한 치료는 무엇인가?

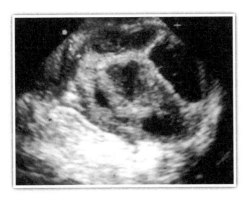

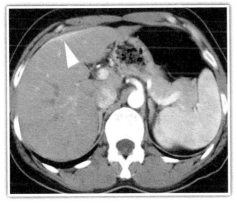 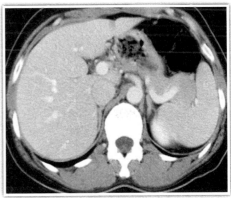

① 경과관찰

② 항생제 투여

③ 항바이러스제 투여

④ 항암화학치료

⑤ 방사선치료

25

정답 ②

해설 Fitz-Hugh-Curtis 증후군

1. 골반염에 의한 간주위염(perihepatitis)

2. 급성 우상복부(RUQ)의 통증과 압통이 유발

참고 *Final Check 부인과 129 page*

26 자궁경부암으로 광범위 자궁절제술 및 림프절절제술을 받은 환자가 수술 2주 후부터 발생한 아랫배 통증과 양 옆구리 동통을 주소로 내원하였다. 혈액검사에서 특이소견은 없었고, 복부 CT가 아래와 같다면 가장 가능성이 높은 진단명을 고르시오.

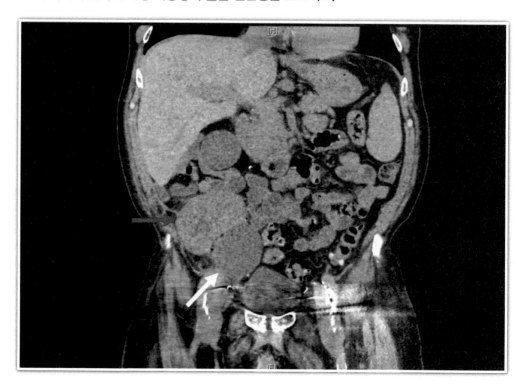

26

[정답] 림프낭종에 의한 수신증(hydronephrosis with lymphocyst)

[해설] 림프낭종(Lymphocyst)

1. <5%에서 발생
2. Routine retroperitoneal drain을 시행해도 발병률은 감소하지 않음
3. Ureteral obstruction, partial venous obstruction, thrombosis 유발 가능

[참고] *Final Check 부인과 508 page*

27 자궁경부암으로 광범위 자궁절제술을 시행한 60세 여성이 우측 옆구리의 통증을 호소하였다. 골반 CT가 아래와 같다면 다음 처치로 가장 적절한 방법을 쓰시오.

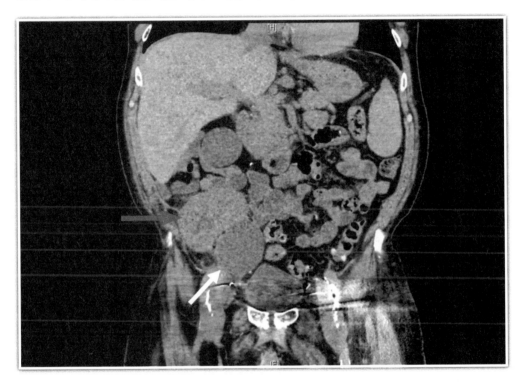

27

[정답] 경피도관(percutaneous catheter)을 통한 장기간의 배액

[해설] 림프낭종(lymphocyst)의 치료

1. 증상이 없는 경우 : 경과관찰
2. 항생제(antibiotics)
3. 경피도관(percutaneous catheter)을 통한 장기간의 배액
4. 경화요법(sclerotherapy)
5. 수술적 제거 후 대장 또는 장간막을 이용한 flap 시행

[참고] Final Check 부인과 508 page

28 63세 여자가 자궁경부암으로 근치적 자궁절제술, 양측 부속기절제술, 골반 림프절절제술을 시행 받고, 2달 뒤 좌측 아랫배 통증을 주소로 내원하였다. 시행한 검사상 아래와 같은 소견을 확인하였다면 가장 적절한 처치를 고르시오.

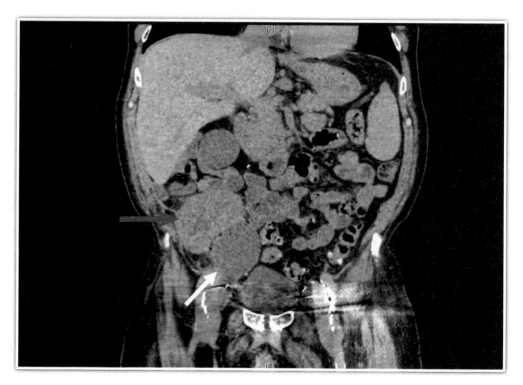

① 경과관찰
② 도뇨관 삽입
③ 경피적 배액술
④ 시험적 개복술
⑤ Concurrent chemoradiation therapy

28

정답 ③

해설 림프낭종(lymphocyst)의 치료
1. 증상이 없는 경우 : 경과관찰
2. 항생제(antibiotics)
3. 경피도관(percutaneous catheter)을 통한 장기간의 배액
4. 경화요법(sclerotherapy)
5. 수술적 제거 후 대장 또는 장간막을 이용한 flap 시행

참고 *Final Check 부인과 508 page*

29 다음 그림의 자궁 내 피임장치의 이름을 쓰시오.

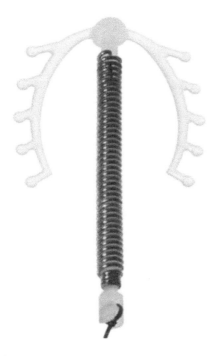

① Lippes loop

② Tcu-200B

③ Nova T

④ Multiload 375

⑤ Levonorgestrel IUD

29

정답 ④

해설 **구리 자궁내장치(Copper IUD)**
1. 폴리에틸렌에 구리(copper)가 감긴 작은 기구
2. 종류 : Nova-T®, Multiload, ParaGard T 380A
참고 *Final Check 부인과 44 page*

30 33세 여성이 5년 전 copper IUD를 삽입하였다. 검진상 다음 X-ray와 같은 소견이 발견되어 시행한 CT가 아래와 같았다. 이 환자에게 시행할 처치로 올바른 것을 고르시오.

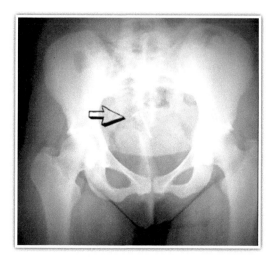

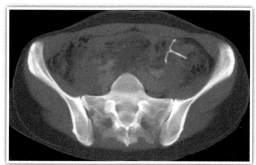

① 복강경 수술
② 자궁경 수술
③ 자궁소파술
④ 주기적 관찰 및 외래 추적관찰
⑤ 개복술

30

정답 ①

해설 **자궁내장치의 분실**
1. 삽입 후 첫 달에 자궁에서의 배출이 흔히 발생
2. 실이 보이지 않을 경우 초음파 및 방사선 검사 시행
3. 복강 내 위치할 경우 복강경으로 제거 시도

참고 *Final Check 부인과 46 page*

31 IUD를 삽입한 상태에서 임신이 확인된 여성이 내원하였다. 자궁경부의 육안 소견과 초음파가 아래와 같다면 가장 적절한 처치를 고르시오.

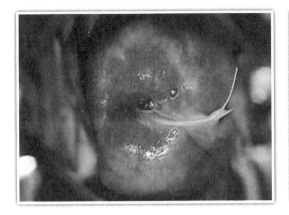 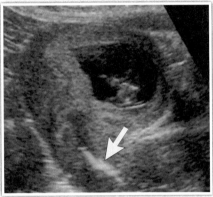

① 경과관찰

② 항생제 사용

③ Methotrexate 주사

④ IUD 제거

⑤ 임신 종결

31

정답 ④

해설 **자궁내장치 시술 후 임신**

1. 반드시 자궁외임신을 확인

2. IUD 실이 보이는 경우 : 즉시 제거

3. IUD 실이 보이지 않는 경우 : 초음파로 IUD의 위치를 확인 후 3가지 방법 중 선택

   a. 치료적 유산

   b. 초음파 유도 IUD 제거

   c. IUD를 놔둔 채 임신 유지

참고 *Final Check 부인과 47 page*

32 31세 여성이 불임을 주소로 내원하였다. 생리는 28일 주기로 규칙적이었으며 지난 달 환자의 기초체온표는 biphasic pattern으로 확인되었다. 초음파에서 자궁 및 난소의 특이소견은 없었으며, 좌측 난소에 직경 15 mm 크기의 난포가 관찰되었다. 자궁경부 내 점액을 유리 슬라이드에 도말하고 말렸더니 그림과 같은 소견이 관찰되었다. 이 환자에서 다음 날 시행하기 가장 적절한 불임 검사를 고르시오.

① 기초 호르몬검사
② 자궁난관조영술
③ 성교 후 검사
④ 혈중 progesterone 검사
⑤ 자궁내막검사

32

정답 ③

해설 생리 주기에 따른 불임 검사
1. 처음 방문 : PRL, TSH
2. MCD 3 : Basal FSH, LH, E2, androgen
3. MCD 6~12 : HSG, CPA(생리가 끝난 직후)
4. MCD 10~14 : Postcoital test, cervical mucus test (ovulation 직전)
5. MCD 21 : Midluteal P4
6. MCD 24~26 : Endometrial biopsy
7. 모든 검사가 끝난 후 필요 시 진단적 복강경(diagnostic laparoscopy) 시행

참고 *Final Check 부인과 397 page*

33 산과력 1-0-2-1인 29세 여성이 첫 아이 분만 후 인공 유산이 2회 있었고, 25개월 간 임신 노력에도 임신이 안 되어 내원하였다. 이 환자의 기초체온표가 아래와 같다면 가장 적절한 다음 처치를 고르시오.

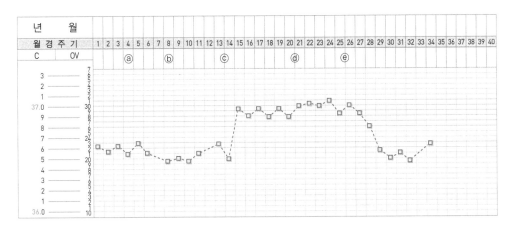

① 배란장애가 의심되며 추가적으로 ⓐ의 기간에 호르몬 검사를 해야 한다

② 속발성 불임의 주 원인은 난관 인자가 많으므로 ⓑ의 기간에 자궁난관조영술을 시행한다

③ ⓒ의 기간에 황체기 결함을 알아보기 위해 자궁내막조직검사를 실시한다

④ ⓓ의 기간에 성교 후 검사를 시행하고 남편의 정액검사를 한다

⑤ 배란 여부를 알기 위하여 ⓔ의 기간에 매일 초음파를 실시한다

33

정답 ②

해설 자궁난관조영술(Hysterosalpingography)

1. 생리가 끝난 후 2~5일(월경주기 7~12일)에 시행 : 감염이 적고 자궁 내 혈전이 적음
2. 검사 방법
   a. 예방적 항생제 : Doxycycline 100 gm, 하루 2회, 촬영 하루 전부터 3~5일간 투여
   b. 자궁 내에 관을 거치한 후 조영제를 주입하면서 투시검사(fluoroscopy) 시행
   c. 3회의 촬영으로 자궁내부, 난관 구조, 난관 통기성을 관찰
3. 금기증 : 현재 또는 의심되는 골반염이 있는 경우

참고 *Final Check 부인과 400 page*

34 반복 유산을 주소로 내원한 31세 여성의 초음파, 자궁난관조영술, 복강경, 자궁경 소견이 아래와 같다면 이 환자의 진단명에 대한 설명으로 잘못된 것을 고르시오.

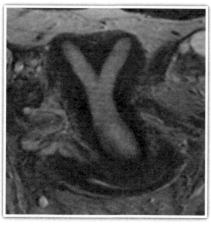
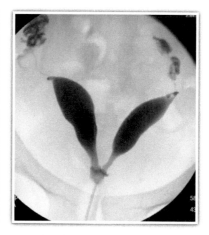
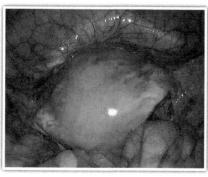
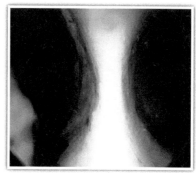

① 정확한 진단을 위해 복강경 검사가 반드시 필요하다

② 반복 유산을 호소하는 환자에서 가장 흔한 자궁기형으로, 양측 뮬러관의 융합 과정에서 중격 흡수의 장애로 발생한다

③ 반복 유산, 둔위, 조산의 원인이 된다

④ 비뇨기계 이상을 동반할 확률이 높다

⑤ 자궁내시경을 이용한 중격절제술로 산과적 예후를 향상시킬 수 있다

34

정답 ④

해설 **중격자궁(Septate uterus)**

1. External configuration of the uterus is relatively normal with a septum within uterus
2. 수술적 치료로 생식 능력의 향상을 기대할 수 있는 유일한 기형
3. 치료 : 자궁경을 통한 절제(hysteroscopic resection)

참고 *Final Check 부인과 16, 411 page*

35

28세 여성이 반복 유산을 주소로 내원하였다. 시행한 검사 소견들이 아래와 같을 때 이 여성에게 가장 적절한 처치는 무엇인가?

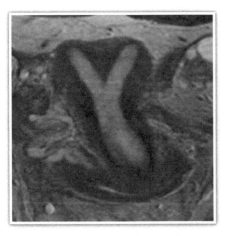 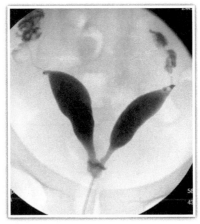

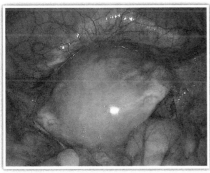 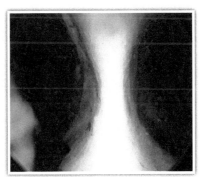

① 경과관찰

② 항생제 투여

③ 자궁경하 용종절제술

④ 자궁경하 유착박리술

⑤ 자궁경하 중격절제술

35

정답 ⑤

해설 **중격자궁(Septate uterus)**

1. External configuration of the uterus is relatively normal with a septum within uterus
2. 수술적 치료로 생식 능력의 향상을 기대할 수 있는 유일한 기형
3. 치료 : 자궁경을 통한 절제(hysteroscopic resection)

참고 *Final Check 부인과 16, 411 page*

36 다음은 반복 유산의 경험이 있는 여성의 수술 소견이다. 이 환자에게 가장 적절한 수술을 쓰시오.

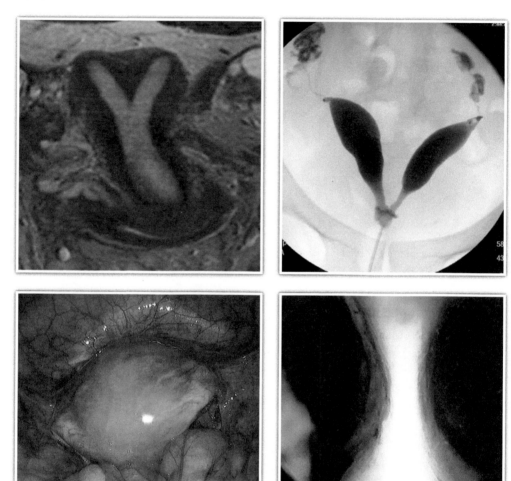

36

[정답] 자궁경하 중격절제술(Hysteroscopic resection)

[해설] **중격자궁(Septate uterus)**

1. External configuration of the uterus is relatively normal with a septum within uterus
2. 수술적 치료로 생식 능력의 향상을 기대할 수 있는 유일한 기형
3. 치료 : 자궁경을 통한 절제(hysteroscopic resection)

[참고] *Final Check 부인과 16, 411 page*

37 다음은 불임 환자의 자궁난관조영술(hysterosalpingography) 소견이다. 원인으로 가장 가능성이 높은 것을 고르시오.

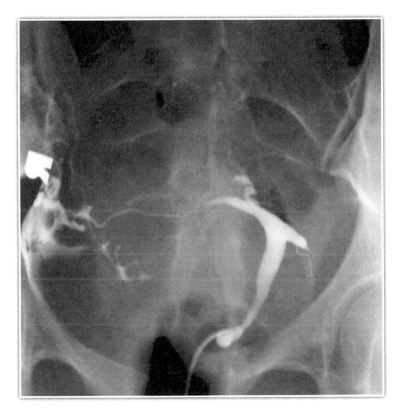

① DES exposure

② CMV infection

③ Tuberculosis

④ Previous curettage

⑤ Endometriosis

37

정답 ①

해설 **자궁 내 diethylstilbestrol(DES) 노출**

1. 선천적인 자궁기형(e.g. T자형 자궁)이 발생할 확률이 증가
2. 조산이나 자궁경부무력증 등의 산과적 합병증이 증가

참고 *Final Check 부인과 412 page*

38 다음 그림을 보고 AMH가 분비되는 곳을 고르시오.

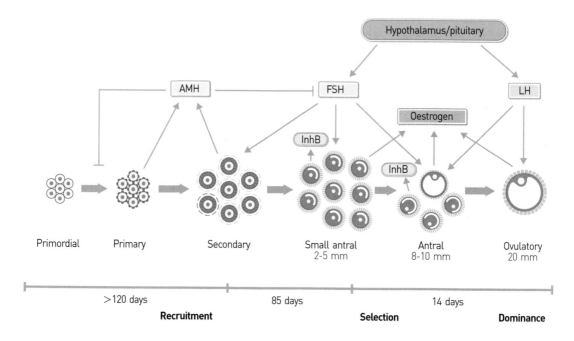

① Yolk sac

② Granulosa cell

③ Leydig cell

④ Germ cell

⑤ Theca cell

38

정답 ②

해설 Anti-Müllerian hormone (AMH)

1. Preantral 및 small antral follicle의 과립막세포(granulosa cell)에서 분비
2. 폐경기에 난소예비력(ovarian reserve)이 감소함에 따라 AMH는 감소
3. 폐경 후에는 검출되지 않을 정도로 감소
4. 월경주기에 관계없이 검사 가능

참고 *Final Check* 부인과 *442 page*

39 34세 여자가 수차례의 체외수정에도 임신이 되지 않아 내원하였다. 자궁난관조영술에서 다음과 같은 소견을 보일 때 다음 처치로 가장 적절한 것을 고르시오.

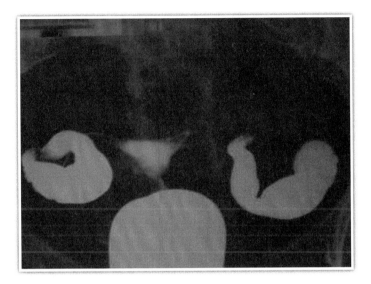

① Clomiphene citrate

② 체외수정 시술(IVF)

③ hMG

④ 난관절제술

⑤ 난관성형술

39

[정답] ④

[해설] **난관수종(Hydrosalpinx)**

1. 난관의 끝 부분이 막혀서 난관 내 물이 고인 상태
2. 난관수종 내 액체가 배아의 발달과 착상을 방해
   a. 체외수정 전 난관절제술을 먼저 시행 시 체외수정 임신율과 출생률이 유의하게 증가
   b. 복강경하 난관폐쇄술 시행 후 체외수정을 해도 임신율 향상 가능

[참고] *Final Check 부인과 411 page*

40 17세 여성이 무월경 및 2차성장 지연을 주소로 내원하였다. 환자는 평소 신체에 대한 왜곡된 이미지를 갖고 있었으며 체중이 정상보다 현저히 낮았다. 이 환자에 대한 설명으로 맞는 것을 고르시오.

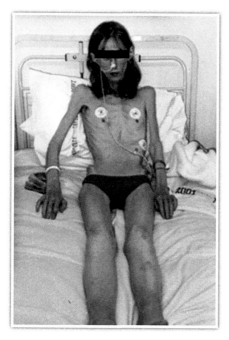 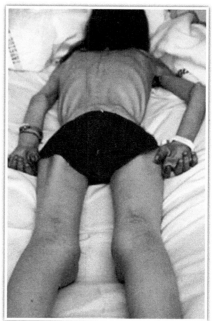

① Cortisol 증가

② Prolactin 감소

③ GnRH 증가

④ T3, T4 증가

⑤ β-carotene 감소

40

정답 ①

해설 신경성 식욕부진(anorexia nervosa)의 검사소견

1. FSH, LH : 아동기처럼 24시간 동안 계속 낮거나, 사춘기 초기처럼 수면 중에 FSH 박동이 증가
2. Cortisol : 증가(ACTH가 정상이지만 hypercortisolism 상태)
3. CRH 투여에도 ACTH 반응이 거의 없음
4. T3 감소, reverse T3 증가
5. TSH, T4 : 정상

참고 *Final Check 부인과 347 page*

41 19세 여성이 일차성 무월경을 주소로 내원하였다. 시행한 염색체검사가 아래와 같다면 이 환자의 진단명을 쓰시오.

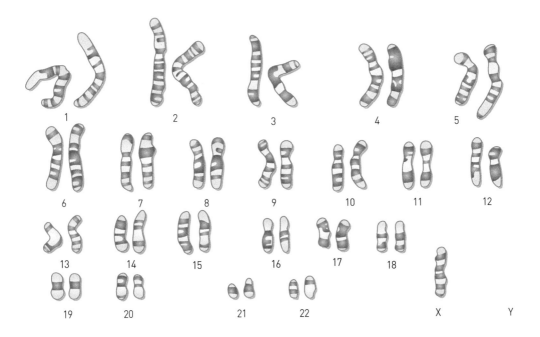

41

[정답] 터너증후군(Turner syndrome)

[해설] **터너증후군(Turner syndrome**

1. 핵형 : 45,X(가장 흔한 핵형, 약 60%)
2. 생식샘부전과 원발성 무월경을 유발하는 가장 흔한 염색체 이상
3. 태생 18주 이후부터 난소의 난자가 급격히 소실되어 생후 수년 만에 완전히 소실
4. 정상 지능, 작은 신장, 발육이 안 된 유방, 빈약한 액모 및 음모, 원발성 무월경
5. 흔적 생식샘(streak gonads)으로 되어 있고 자궁과 난관은 미성숙하나 정상적

[참고] *Final Check 부인과 327 page*

42 21세 여성이 원발성 무월경을 주소로 내원하였다. 환자의 유방 발달은 Tanner stage II, 초음파상 자궁의 존재는 확인 되었다. 혈액검사에서 FSH 65 μU/mL, estradiol 8 pg/mL, 2회의 estrogen challenge test는 양성이었다. 말초 혈액을 통한 핵형이 아래 그림과 같다면 가장 가능성이 높은 진단명을 쓰시오.

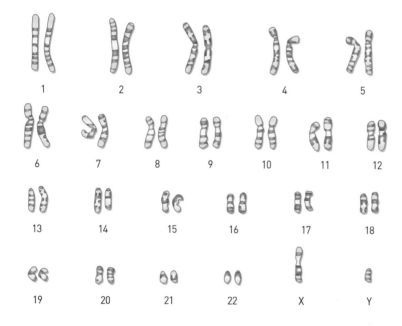

① Turner syndrome

② Swyer syndrome

③ Androgen insensitivity

④ Adrenogenital syndrome

⑤ Mullerian agenesis

42

정답 ②

해설 스와이어 증후군(Swyer syndrome)

1. 핵형 : 46,XY (XY female)
2. 혈액검사
   a. AMH, testosterone : 생성 없음
   b. Testosterone : 정상 여성 수치
   c. Estrogen : 감소 → 성적인 발달이 부족
3. 임상소견
   a. 내부 생식기 : 정상 구조이지만 미숙한 여성의 양상
   b. 외부 생식기 : 어린 여성의 외형

참고 Final Check 부인과 328 page

43 20세 여성이 원발성 무월경을 주소로 내원하였다. 유방 및 음모의 발육은 정상이었으나, 질이 약 2 cm 정도의 맹관을 형성하고 있었고, 염색체검사의 결과가 아래와 같았다. 이 환자의 질환에 대한 설명으로 잘못된 것을 고르시오.

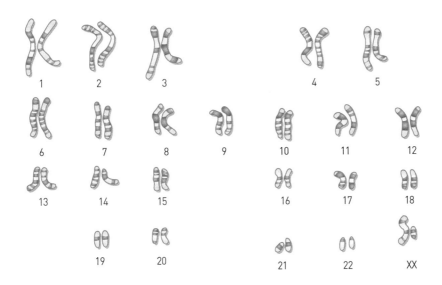

① 복강경검사 시 난소는 정상적으로 관찰된다
② 신장에 대한 기형을 동반할 수 있다
③ 성선의 악성 변화가 발생할 수 있으므로 발견 즉시 제거해야 한다
④ 태생기에 Müllerian duct의 형성 부전이 원인이다
⑤ 혈중 성선자극호르몬 수치는 대개 정상이다

43

정답 ③

해설 MRKH 증후군(Mayer–Rokitansky–Küster–Hauser syndrome)
1. 핵형 : 46,XX (정상 여성)
2. Müllerian duct(paramesonephric duct)의 무형성 또는 형성저하
3. 임상소견
   a. 유방의 발육과 음모의 발달은 정상 여성과 같으며 성장과 발달에 있어서도 정상적
   b. 의심증상 : 정상 여성 외형 + 원발성 무월경 + 비정상 질 구조
4. 비뇨기계 이상이 약 1/3에서 동반(가장 흔한 동반 기형)

참고 *Final Check 부인과 338 page*

44 19세 여성이 원발성 무월경을 주소로 내원하였다. 가족력상 18세 여동생도 아직 초경이 없었다. 시행한 혈액 검사 상 testosterone 60 mg/mL로 확인되었고, 염색체 검사는 아래와 같았다. 이 환자의 진단명을 쓰시오.

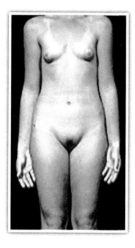

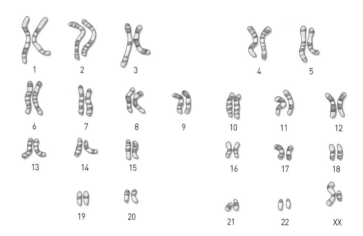

44

[정답] 안드로겐 무감응(Androgen insensitivity)

[해설] 안드로겐 무감응(Androgen insensitivity)

1. 핵형 : 46, XY
2. 유전자형이 남성(XY)이지만 안드로겐 수용체의 기능 결함에 의해 외부 생식기가 여성으로 발달
3. 임상소견
   a. 자궁, 난관, 질 상부 : 미발생
   b. 질 : 하부에서 맹관의 형태
   c. 치모(pubic hair)와 액와모(axillary hair)는 없거나 희박, 유방은 정상 발육
4. 검사소견
   a. Testosterone : 정상 또는 약간 증가한 남성 수준의 농도
   b. AMH : 분비와 기능 모두 정상

[참고] *Final Check 부인과 340 page*

45 원발성 무월경을 주소로 19세 여학생이 내원하였다. 전신 사진과 염색체검사 결과가 아래와
같다면 다음 처치로 가장 먼저 시행할 것을 고르시오.

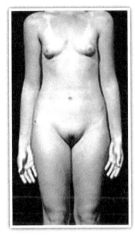 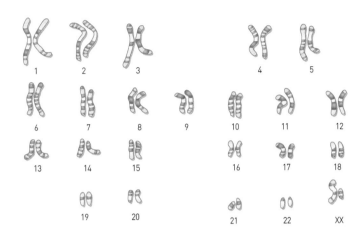

① 경과관찰
② 여성호르몬 투여
③ 남성호르몬 투여
④ 성선절제술
⑤ 질 성형술

45

정답 ④

해설 **안드로겐 무감응(Androgen insensitivity)의 치료**
1. 사춘기 발육이 완전하게 된 후(약 16~18세)에 생식샘(gonad)을 제거
 a. 고환의 악성 변성을 예방
 b. Androgen 수용체에 대한 문제 → 종양 발생이 25세 이전에는 드물고, 발생빈도도 비교적 낮기 때문
 c. 수술 후 호르몬 보충요법으로 estrogen을 투여
2. XY 핵형 + 남성화가 나타나는 경우 : 즉시 제거
 참고 *Final Check 부인과 344 page*

46 염색체검사에서 46,XY로 확인되었고, 서혜부 탈장이 있는 젊은 여성이 내원하였다. 이 환자에 대한 설명으로 잘못된 것을 고르시오.

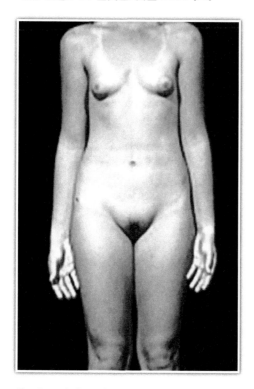

① 질은 맹관을 형성한다

② Testosterone은 정상 여성 수치이다

③ 사춘기 이후 gonadectomy를 시행한다

④ 자궁과 난관이 없다

46

정답 ②

해설 안드로겐 무감응(Androgen insensitivity)

1. 핵형 : 46, XY

2. 유전자형이 남성(XY)이지만 안드로겐 수용체의 기능 결함에 의해 외부 생식기가 여성으로 발달

3. 임상소견
   a. 자궁, 난관, 질 상부 : 미발생
   b. 질 : 하부에서 맹관의 형태
   c. 치모(pubic hair)와 액와모(axillary hair)는 없거나 희박, 유방은 정상 발육

4. 검사소견
   a. Testosterone : 정상 또는 약간 증가한 남성 수준의 농도
   b. AMH : 분비와 기능 모두 정상

참고 *Final Check 부인과 340 page*

47 무월경을 주소로 내원한 환자의 가슴과 외부 생식기 소견이 아래와 같다면 이 환자의 진단명으로 가장 가능성이 높은 것을 고르시오.

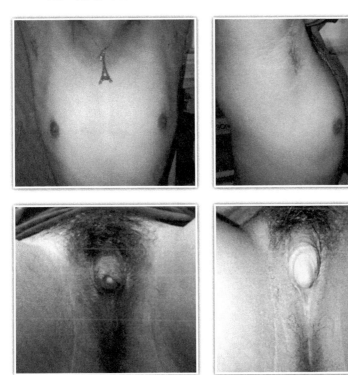

① Congenital adrenal hyperplasia ② Bulimia nervosa ③ PCO

④ Hyperthyroidism ⑤ Swyer syndrome

47

[정답] ①

[해설] Congenital adrenal hyperplasia (CAH)

1. 특징
   a. Cortisol이 합성에 필요한 여러 효소들이 어느 한 단계라도 이상이 생긴 경우 발생
   b. 상염색체 열성 질환(autosomal recessive trait)
   c. 가장 흔한 효소 결핍 : 21-수산화효소(21-hydroxylase)
2. 21-수산화효소(21-hydroxylase) 결핍 : 전형 선천성 부신과증식증
   a. Hydrocortison 결핍 → ACTH 분비 증가, 부신의 과다 비대
   b. 선천성 부신증식증의 90%를 차지
   c. 신생아에서 모호한 생식기를 유발하는 가장 흔한 질환
   d. 음핵 비대, 소음순 주름의 결합, 요도 남성화 증상 등

[참고] *Final Check 부인과 370 page*

48 다음 중 성 호르몬의 합성 과정 중 (A)에 해당하는 호르몬을 고르시오.

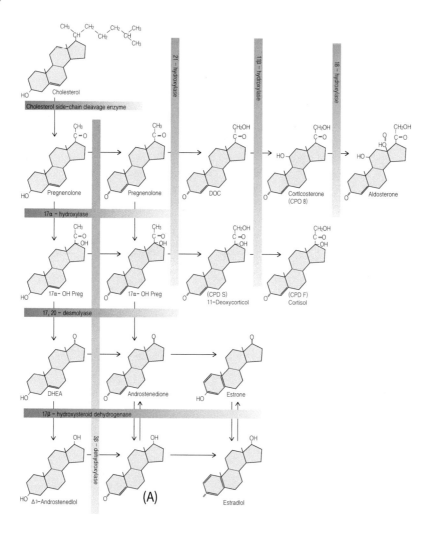

① Estrone   ② Estriol   ③ Estradiol

④ Testosterone   ⑤ Dihydrotestosterone

48

정답 ①

해설

참고 *Final Check 부인과 314 page*

49 아래의 사진을 보고 해당하는 질환의 진단 기준을 쓰시오.

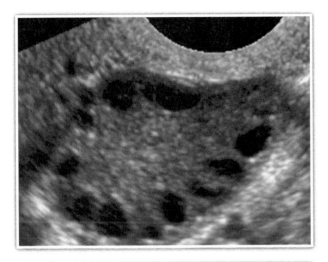

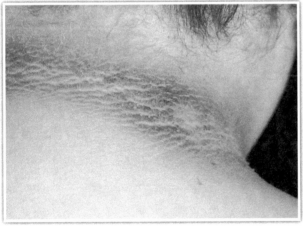

49

정답

1. 만성적인 월경 이상(oligo-ovulation 또는 anovulation)
2. 고안드로겐혈증(hyperandrogenism)
3. 다낭성 난소(polycystic ovary)

해설 **다낭성난소증후군(PCOS)의 진단기준(Rotterdam Criteria, 2003)**

1. 만성적인 월경 이상(oligo—ovulation 또는 anovulation)
2. 고안드로겐혈증(hyperandrogenism)
3. 다낭성 난소(polycystic ovary)
   → 위의 3가지 중 2가지 이상을 만족하는 경우 진단가능

참고 *Final Check 부인과 364 page*

50 28세의 여성이 최근 목소리가 굵어지고 월경이 불규칙한 증상을 주소로 내원하였다. 체중 45 kg, 키 162 cm, 난소 초음파는 아래와 같았다. 환자의 체모가 증가할 때 치료로 가장 적절한 것을 고르시오.

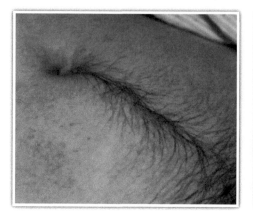 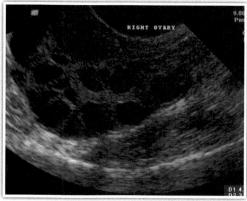

① Weight loss

② MPA

③ Oral contraceptive pill

④ Spironolactone

⑤ Metformin

50

정답 ③

해설 경구피임제(Oral contraceptive pill)
1. 뇌하수체에서의 생식샘자극호르몬(gonadotropin)의 분비 억제
   a. LH를 억제하여 부신 및 난소의 androgen 합성 억제
   b. Estrogen 성분이 SHBG 합성을 증가시켜 Free testosterone 농도 감소
2. 항안드로겐성 프로게스틴(progestins with antiandrogenic property)이 포함된 경구피임제
   a. Progestin이 모낭에서의 androgen 수용체에 경쟁적으로 결합
   b. 5α-reductase 활성을 억제
3. 안드로겐 활성이 낮은 3세대 progestin이 함유된 복합 경구피임제를 권장

참고 *Final Check 부인과 360 page*

51

22세 기혼 여성이 다모증을 주소로 내원하였다. 초음파에서 다음과 같은 소견을 보일 때 가장 적절한 약제를 고르시오.

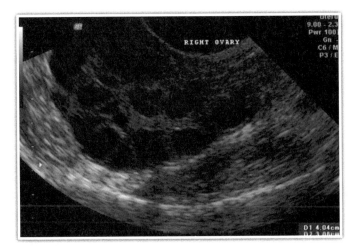

① Clomiphene citrate

② Danazol

③ Oral contraceptive pill

④ Gestrinone

⑤ Metformin

51

정답 ③

해설 경구피임제(Oral contraceptive pill)

1. 뇌하수체에서의 생식샘자극호르몬(gonadotropin)의 분비 억제
   a. LH를 억제하여 부신 및 난소의 androgen 합성 억제
   b. Estrogen 성분이 SHBG 합성을 증가시켜 Free testosterone 농도 감소
2. 항안드로겐성 프로게스틴(progestins with antiandrogenic property)이 포함된 경구피임제
   a. Progestin이 모낭에서의 androgen 수용체에 경쟁적으로 결합
   b. 5α-reductase 활성을 억제
3. 안드로겐 활성이 낮은 3세대 progestin이 함유된 복합 경구피임제를 권장

참고 Final Check 부인과 360 page

52 24세 여성이 희발월경과 불임을 주소로 내원하였다. 환자의 BMI 30 kg/mm², 외모와 난소 초음파는 아래와 같았다면 불임 치료방법으로 적절하지 않은 것을 고르시오.

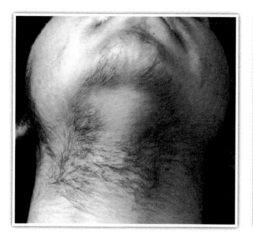
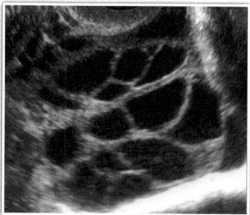

① Clomiphene

② Metformin

③ Weight reduction

④ Spironolactone

⑤ Low dose gonadotropin

52

정답 ④

해설 다낭성난소증후군(PCOS)의 무배란과 불임의 치료
1. 체중 조절(5~10% 감소)
2. 클로미펜(clomiphene citrate)
3. 메트포민(metformin)
4. 저용량 생식샘자극호르몬 치료(Low dose gonadotropin therapy)
5. 복강경 난소천공술(Laparoscopic ovarian drilling, LOD)
6. 체외수정(IVF-ET)
참고 *Final Check 부인과 368 page*

53 27세 미혼 여성이 무월경을 주소로 내원하였다. 시행한 초음파와 환자의 복부 소견이 아래와 같다면 가장 먼저 시행할 처치로 올바른 것을 고르시오.

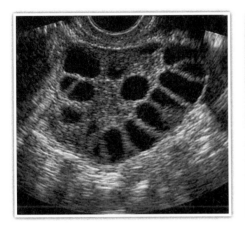 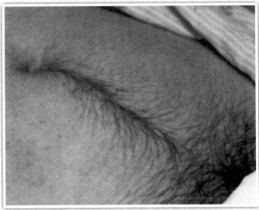

① Weight loss

② Clomiphene

③ GnRH agonist

④ Pelviscopic ovarian wedge resection

⑤ IVF-ET

53

[정답] ①

[해설] 다낭성난소증후군(PCOS)의 무배란과 불임의 치료

1. 체중 조절(5~10% 감소)
2. 클로미펜(clomiphene citrate)
3. 메트포민(metformin)
4. 저용량 생식샘자극호르몬 치료(Low dose gonadotropin therapy)
5. 복강경 난소천공술(Laparoscopic ovarian drilling, LOD)
6. 체외수정(IVF–ET)

[참고] *Final Check 부인과 368 page*

54 결혼 2년 동안의 일차성 불임과 불규칙한 질 출혈을 주소로 27세 비만 여성이 내원하였다. 산부인과 진찰 소견에서 특이소견은 보이지 않았고, 복부에는 털이 많았으며, 초음파 소견이 아래와 같았다. 가장 먼저 시행할 검사를 쓰시오.

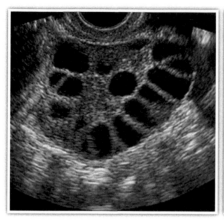 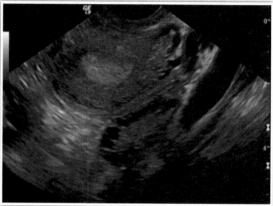

54

[정답] 자궁내막조직검사(Endometrial biopsy)

[해설] 다낭성난소증후군(PCOS)과 악성 암

1. 만성 무배란 → low progesterone + unopposed estrogen
2. 자궁내막암 : 위험도 증가
   a. 대부분 1기, 완치율이 90% 이상
   b. 고위험 : 출혈, 체중 증가, 나이가 많은 경우
   c. 자궁내막의 과증식을 억제하기 위해 최소한 3개월에 한 번은 월경을 유도
   d. 예방법 : 규칙적인 배란 유도, 지속적 or 주기적 프로게스테론 투여
3. 유방암 : 위험도 증가
4. 난소암 : 2~3배 증가

[참고] *Final Check* 부인과 367 page

55 OHSS 증상이 나타난 여성의 난소 초음파가 다음과 같다면 이 환자에 대한 설명으로 옳은 것을 고르시오.

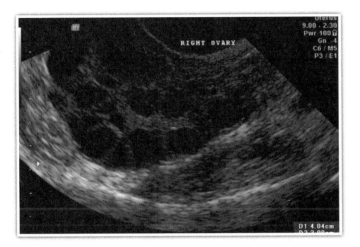

① Hypokalemia

② Hematocrit 상승

③ BUN 상승

④ 신혈류 증가

⑤ 난소의 크기 감소

55

정답 ②

해설 난소과자극증후군(OHSS)의 증상

1. 난소 증대(ovarian enlargement)
2. 과도한 스테로이드 생성
3. 복수, 흉수, 호흡부전
4. 혈액농축(hemoconcentration)
5. 과응고(hypercoagulability)
6. 난소 염전(torsion) 또는 파열(rupture)
7. 심한 전해질 장애

참고 *Final Check 부인과 421 page*

56 난소 과자극으로 하복부 팽만, 호흡곤란 등의 증상이 발생하여 내원한 환자에게 나타날 수 있는 소견은 무엇인가?

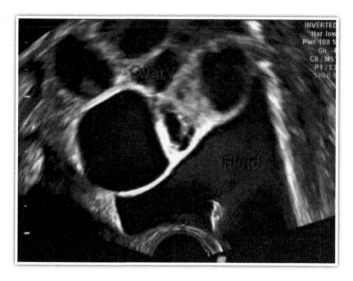

① Thrombocytopenia

② Leukopenia

③ Hypervolemia

④ Hypercoagulability

⑤ Decrease steroid production

56

정답 ④

해설 난소과자극증후군(OHSS)의 증상
1. 난소 증대(ovarian enlargement)
2. 과도한 스테로이드 생성
3. 복수, 흉수, 호흡부전
4. 혈액농축(hemoconcentration)
5. 과응고(hypercoagulability)
6. 난소 염전(torsion) 또는 파열(rupture)
7. 심한 전해질 장애
참고 *Final Check* 부인과 421 page

57 체외수정을 위해 GnRH agonist 병합 long protocol에 의한 과배란 유도를 시행하고 있는 여성에서 초음파상 아래와 같은 소견이 보였다. 혈액검사에서 특이소견은 없었지만 E2 30,000 pg/mL로 확인되었다. 이 환자에 대한 치료로 적절한 방법이 아닌 것을 고르시오.

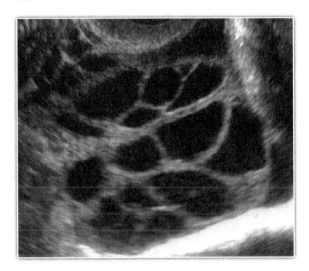

① hCG 투여 연기

② hMG 투여 중단

③ Albumin 투여

④ Progesterone 투여

⑤ 복수가 있다면 paracentesis

57

[정답] ④

[해설] 난소과자극증후군(OHSS)의 처치

1. hCG 투여 연기
2. hMG 투여 중단 : E2 1,700 pg/mL로 감소하면 hCG 투여
3. hCG 용량 감소
4. hCG 대신 GnRH agonist 투여
5. Albumin 투여
6. IVF로 전환
7. Cryopreservation

[참고] *Final Check 부인과 422 page*

58 다음은 배란 유도제를 사용한 30세 불임 여성의 초음파, 흉부 방사선 사진이다. 이 환자에게 적합한 처치가 아닌 것을 고르시오.

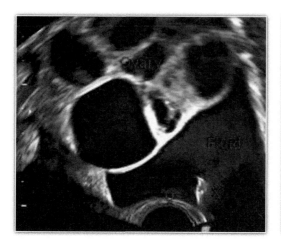 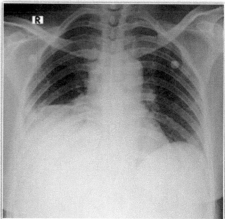

① hCG 투여 연기

② Albumin

③ Paracentesis

④ Explo-laparotomy

⑤ Dopamine

58

정답 ④

해설 중증 난소과자극증후군의 치료

입원하여 안정 및 대증요법 시행	복수천자(paracentesis)의 적응증
- 수액치료(fluid therapy) - 혈액용적 확장제 : albumin, dextran - Heparin : 혈전색전증의 증거가 있을 때 - Dopamine : 신혈류 증가를 위해	- 증상의 개선이 필요할 때 - 요감소(oliguria) - Creatinine 상승, creatinine clearance 감소 - 저혈압과 동반된 다량의 복수 - 내과적 치료로 호전이 안되는 혈액 점도(blood viscosity) 증가

난소가 부서지기 쉬우므로 골반 내진(pelvic exam)은 금기
시험적 개복술(exploratory laparotomy) : 출혈, 꼬임 의심 시

참고 Final Check 부인과 422 page

59 불임 여성이 과배란 유도 및 체외수정 시술 1주 후 오심, 구토, 복부 팽만 및 호흡곤란을 주소로 내원하였다. 흉부 X-선 및 복부, 질 초음파 소견이 아래와 같다면 이 환자의 치료로 적절하지 못한 것을 고르시오.

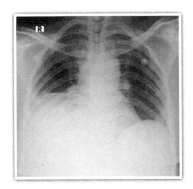
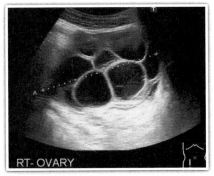

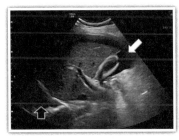
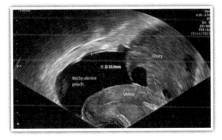

① Correction of fluid and electrolyte imbalance

② Oxygen supply

③ Plasma expander

④ Drainage of ascites fluid

⑤ Drainage of pleural fluid

59

[정답] ⑤

[해설] 중증 난소과자극증후군의 치료

입원하여 안정 및 대증요법 시행	복수천자(paracentesis)의 적응증
– 수액치료(fluid therapy) – 혈액용적 확장제 : albumin, dextran – Heparin : 혈전색전증의 증거가 있을 때 – Dopamine : 신혈류 증가를 위해	– 증상의 개선이 필요할 때 – 요감소(oliguria) – Creatinine 상승, creatinine clearance 감소 – 저혈압과 동반된 다량의 복수 – 내과적 치료로 호전이 안되는 혈액 점도(blood viscosity) 증가

난소가 부서지기 쉬우므로 골반 내진(pelvic exam)은 금기
시험적 개복술(exploratory laparotomy) : 출혈, 꼬임 의심 시

[참고] *Final Check 부인과 422 page*

60 25세 여성이 임신이 되지 않아 내원하였다. 10개월 전 본원을 방문하여 불임검사를 하였고, 다낭성난소증후군 진단 후 6개월 전부터 clomiphene으로 치료를 시작하였다. 다음은 clomiphene으로 치료한 후의 월경주기에 따른 기초체온표이다. 이 환자의 치료 방법을 바꾸려 한다면 가장 적절한 방법을 고르시오.

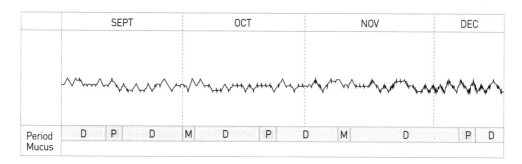

① rFSH를 사용한다

② hCG를 사용한다

③ rFSH와 hCG를 함께 사용한다

④ Clomiphene과 estrogen을 함께 사용한다

⑤ Progesterone을 추가한다

60

정답 ③

해설 저용량 생식샘자극호르몬 치료(Low dose gonadotropin therapy)
1. 저용량으로 시작하여 초음파 및 혈중 estradiol치의 측정을 병행하며 세심하게 진행
2. Chronic low dose step-up protocol
   a. 한 개 난포의 배란을 목표로 시행
   b. Recombinant follicle stimulating hormone (rFSH), 37.5~75 IU, 14일간 투여
      → hCG 투여기준에 도달하지 못하면 난포 성장이 유도되는 시점까지 1주 단위로 37.5 IU씩 증량
      → 난포 발달(최소 하나의 난포가 10 mm 이상 성장)이 유도되는 용량으로 hCG 투여기준에 도달할 때까지 유지
      → 우성난포의 직경이 18 mm 이상 도달했을 때 hCG를 투여(14 mm 이상 난포가 3개 이상 관찰될 경우 다태아 임신 가능성이 높아지므로 hCG를 투여하지 않음)

참고 Final Check 부인과 368 page

61 32세 여자가 유즙 분비와 무월경을 주소로 내원하였다. 시행한 Brain MRI는 다음과 같고 tu-mor size 18 mm로 확인되었다. 지속적인 시야장애를 호소하고 있을 때 가장 적절한 치료법을 고르시오.

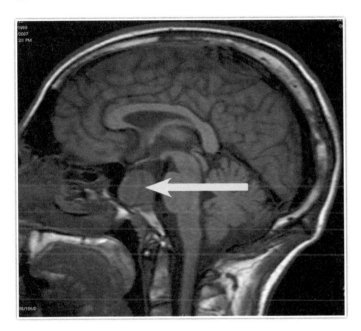

① 경과관찰

② Clomiphene citrate

③ Oral contraceptives

④ Progesterone

⑤ 종양절제술

61

정답 ⑤

해설 거대샘종(macroadenoma)의 수술치료 적응증

1. 약물치료에 반응이 없는 경우

2. 지속적인 시야장애가 있는 경우

참고 *Final Check 부인과 377 page*

62 다음 질환에서 수술적 치료의 적응증을 쓰시오.(2가지)

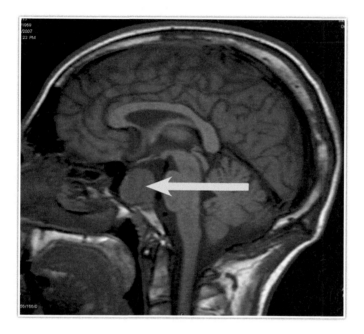

62

정답
1. 약물치료에 반응이 없는 경우
2. 지속적인 시야장애가 있는 경우
해설 거대샘종(macroadenoma)의 수술치료 적응증
1. 약물치료에 반응이 없는 경우
2. 지속적인 시야장애가 있는 경우
참고 Final Check 부인과 377 page

63 임신 22주 여성이 갑작스러운 두통을 주소로 내원 하였다. 혈액검사 결과 prolactin 상승을 확인하였고, brain MRI는 아래와 같았다. 이 산모의 치료로 가장 적절한 것을 고르시오.

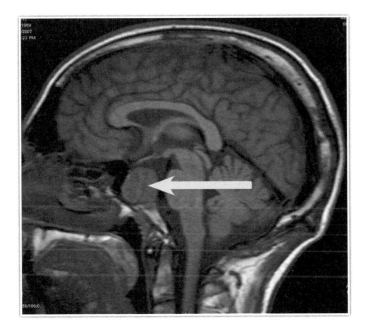

① Progesterone

② Bromocriptine

③ Surgery

④ Radiation therapy

⑤ Chemotherapy

63

정답 ②

해설 **임신 중 뇌하수체의 거대샘종(macroadenoma)**

1. 약 10%에서 임신 중에 종양이 성장

2. 임신 전에 약물치료와 영상검사를 시행

3. 임신 중에는 주의 깊게 관찰하여 증상이 있는 경우 도파민작용제를 사용

  a. 임신 중에는 2개월마다 검사

  b. 증상이 있거나 거대샘종의 과거력력이 있는 경우 주기적인 시야검사와 MRI 시행

4. 도파민 작용제 사용에도 불구하고 시야결손이 있는 경우에는 수술을 고려

참고 *Final Check 부인과 378 page*

64 다음 시술의 적응증을 쓰시오.(3가지)

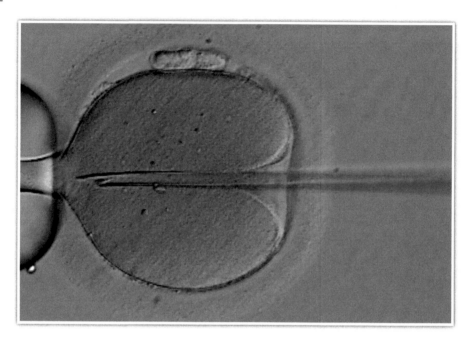

64

1. 남성 불임(male infertility)
2. 이전 고식적 시술주기에서 특별한 원인 없이 수정률이 낮았던 경우
3. 척수손상 환자, 사정장애가 있는 환자, 역방향사정 환자
4. 남성이 HIV 양성자인 경우(정액 내 바이러스가 난자에 노출되는 것을 막기 위해)
5. 채취된 난자 수가 적거나 동결보존, 체외성숙 난자를 이용하는 경우
6. 유전자 진단을 위한 제1극체 생검, 할구 생검이 필요한 경우

해설

참고 *Final Check 부인과 430 page*

65
근치적 자궁절제술 후 외음부 전부 및 대퇴부 전부, 중상측 부위의 감각 이상이 발생하였다면 수술 시 손상된 신경을 쓰시오.

65

정답 Genitofemoral nerve

해설 Genitofemoral nerve

1. Sensory : anterior vulva (genital branch), middle/upper anterior thigh (femoral branch)
2. Motor : common iliac and external iliac L/N dissection 시 가장 흔하게 손상되는 신경

참고 *Final Check 부인과 12 page*

66 28세 여성이 정기검진에서 시행한 Pap smear상 ASC-US로 확인되어 내원하였다. Colposcopy 상 아래와 같은 소견이 관찰되었다면 다음 처치로 가장 적절한 것을 고르시오.

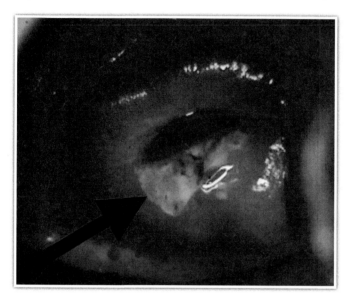

① 6~12개월 후 Pap test 추적관찰

② HPV test

③ Colposcopy biopsy

④ Conization

⑤ Radical hysterectomy

66

정답 ③

해설 백반증(Leukoplakia)

1. 국소 상피에 조직학적으로 과각화 되어 발생
2. 초산과 무관하며 편평하게 융기된 백색병변
3. 변형대에 국소적으로 있는 경우 전암병변을 의심
4. 가장 흔한 원인 : 인유두종바이러스(HPV) 감염
5. 다른 원인 : 각질화 암종, 각질화 상피내종양, 페서리, 탐폰 등에 의한 만성손상, 방사선 치료

참고 *Final Check 부인과 174 page*

67

30세 여성이 임신 10주에 자궁경부세포진검사 결과가 HSIL 의심 소견을 보여 내원하였다. 시행한 colposcopy와 Pap smear가 아래와 같다면 이 환자에게 가장 적절한 처치를 쓰시오.

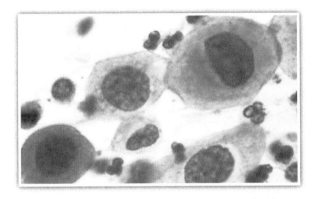

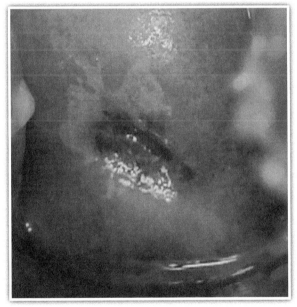

67

[정답] 질확대경검사(colposcopy)하 조직검사

[해설] 임신부에서 HSIL이 진단된 경우

1. 질확대경검사(colposcopy)를 시행
2. 고등급 병변이나 침윤성 자궁경부암이 의심되는 경우 조직생검을 시행
3. 침윤성 자궁경부암이 의심되지 않는다면, 진단적 절제술은 분만 후까지 연기
4. 내자궁경부소파술(ECC)은 임신 중 금기

[참고] *Final Check 부인과 198 page*

68 28세 여성에서 시행한 colposcopy와 biopsy의 병리학 결과가 아래와 같다면 가장 적절한 처치를 고르시오.

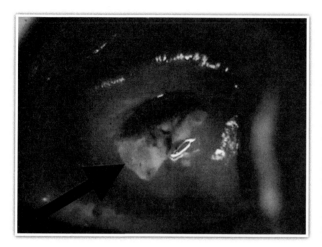 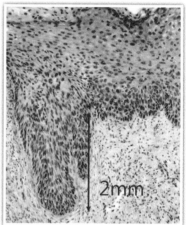

① Cryotherapy

② Conization

③ Hysterectomy

④ Radiation

⑤ Chemotherapy

68

정답 ②

해설 **원뿔생검(Cone biopsy)**

1. 질확대경검사 과정이 불만족스러운 경우
2. 가장 고등급 병변이 질확대경으로 보이는 범위를 넘어 자궁경부 상부에 있는 경우
3. 내자궁경부소파술의 결과가 비정상적이거나 결정하기 어려운 경우
4. 자궁경부 선상피내암(adenocarcinoma in situ, AIS)이 의심되는 경우
5. 자궁경부 미세침윤암(microinvasive carcinoma)이 의심되는 경우
6. 세포검사와 조직생검의 결과에 심한 차이가 나타나는 경우

참고 *Final Check 부인과 192 page*
Final Check 병리 11 page

69

다음은 55세 여성의 자궁경부암의 조직 검사 사진이다. 가장 올바른 처치를 고르시오.

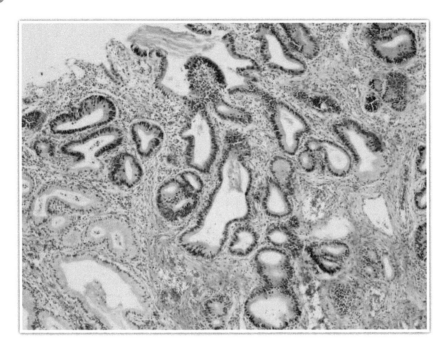

① Cryotherapy

② Hysterectomy

③ Radical hysterectomy with PLND

④ Radiation therapy

⑤ Chemotherapy

69

정답 ②

해설 자궁경부 상피내선암(adenocarcinoma in situ of cervix)의 치료

1. 임신력 보존을 원하지 않을 때 : 자궁절제술(hysterectomy)
2. 임신력 보존을 원할 때 : 자궁경부 원추절제술(conization)
   a. 반복적인 conization으로 절제경계면의 잔류병변 음성 확인 → 이후 Pap과 ECC를 6개월 간격으로 시행 → 출산 후 자궁절제술(hysterectomy)
   b. 절제경계면에 병변이 없다면 반복적인 검사를 하며 경과관찰

참고 *Final Check 부인과 498 page*
Final Check 병리 18 page

70 다음은 폐경 전후의 호르몬 변화이다. (A)에 해당하는 호르몬을 고르시오.

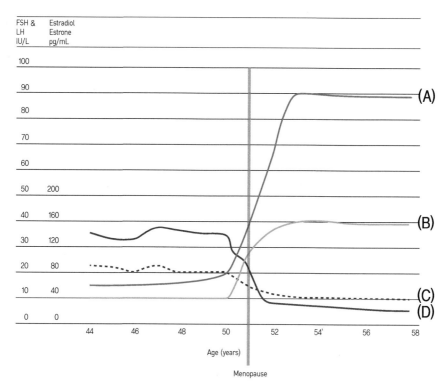

① Testosterone

② Estrone

③ Estradiol

④ FSH

⑤ LH

70

정답 ④

해설

(A) FSH

(B) LH

(C) Estrone

(D) Estradiol

참고 *Final Check 부인과 443 page*

71 폐경 된 56세 여성이 건강검진을 위해 내원하였다. 환자는 홍조는 없고, 담낭 질환이 있었으며, 유방암의 가족력이 있었다. 내원 후 시행한 혈액검사에서 cholesterol 210 mg/dL로 확인되었고, 다른 이상소견은 없었다. BMD 검사가 아래와 같은 소견이었다면 다음 처치로 가장 적절한 것을 고르시오.

Region	Area(cm²)	BMC(g)	BMD(g/cm²)	T-score	PR(%)	Z-score	AM(%)
L1	12.97	10.55	0.841	−1.0	88	−0.9	89
L2	14.64	13.96	0.954	−0.7	93	−0.6	94
L3	16.00	16.92	1.058	−0.2	98	−0.2	98
L4	18.05	18.31	1.015	−0.9	91	−0.8	92
Total	61.65	59.74	0.969	−0.7	93	−0.6	93

① Premarin

② Tibolone

③ Raloxifene

④ Alendronate

⑤ Provera

71

정답 ③

해설 Raloxifene의 효과

Raloxifene	
자궁내막	길항제(antagonist)로 작용 자궁내막의 두께 증가 없음 자궁내막암의 위험성은 차이 없음
유방	길항제(antagonist)로 작용 유방암의 위험성 감소
심혈관계	Total cholesterol, LDL 감소 HDL, TG 증가 없음
뼈	폐경 후 여성에서 사용 시 BMD 증가 폐경 전 여성에서 사용 시 BMD 감소

참고 *Final Check 부인과 452 page*

72 다음은 68세 여성의 BMD 소견이다. 이 환자의 치료 약제로 적당하지 않은 것을 고르시오.

Region	Area(cm²)	BMC(g)	BMD(g/cm²)	T-score	PR(%)	Z-score	AM(%)
L1	12.97	10.55	0.841	−1.0	88	−0.9	89
L2	14.64	13.96	0.954	−0.7	93	−0.6	94
L3	16.00	16.92	1.058	−0.2	98	−0.2	98
L4	18.05	18.31	1.015	−0.9	91	−0.8	92
Total	61.65	59.74	0.969	−0.7	93	−0.6	93

① Calcitonin

② Fluoxetine

③ Raloxifene

④ Bisphosphonate

⑤ Progesterone

72

정답 ②

해설 **폐경 후 골다공증의 처치**

1. Life style modification
2. Calcium : 1,000~1,500 mg/day
3. Vit. D : 400~800 IU/day
4. Bisphosphonate agent
5. Hormone therapy
6. Selective estrogen receptor modulator (SERM)
7. Calcitonin
8. PTH

참고 *Final Check 부인과 447 page*

73

52세 여성이 다음과 같은 BMD 소견을 보여 내원하였다. 환자가 vasomotor symptom을 호소하고 있는 상태라면 이 환자에게 사용할 수 없는 치료제를 고르시오.

Region	Area(cm²)	BMC(g)	BMD(g/cm²)	T-score	PR(%)	Z-score	AM(%)
L1	12.97	10.55	0.841	-1.0	88	-0.9	89
L2	14.64	13.96	0.954	-0.7	93	-0.6	94
L3	16.00	16.92	1.058	-0.2	98	-0.2	98
L4	18.05	18.31	1.015	-0.9	91	-0.8	92
Total	61.65	59.74	0.969	-0.7	93	-0.6	93

① Bisphosphonate

② Hormone replacement therapy

③ Estrogen

④ Raloxifene

⑤ Paroxetine

73

정답 ④

해설 선택적 에스트로겐수용체조절제(SERM)

1. 뼈에서는 estrogen agonist, 자궁내막과 유방에서는 estrogen antagonist
2. 종류 : Raloxifene, Bazedoxifene, TSEC(tissue selective estrogen complex)
3. 추가적인 효과 : 유방암 감소
4. 잠재적 위험 : 정맥 혈전색전증
5. 부작용 : 혈관운동증상(vasomotor symptoms), 다리경련
6. 유방암으로 aromatase inhibitor를 사용 중인 경우 SERM 투여 시 상충작용 발생

참고 *Final Check 부인과 448 page*

74 63세 여성의 골밀도 검사 상 T-score : −3.5, X-ray에서 아래와 같은 소견이 보였다. 이 환자에게 가장 적절한 약제는 무엇인가?

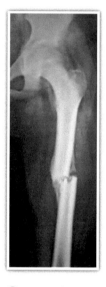 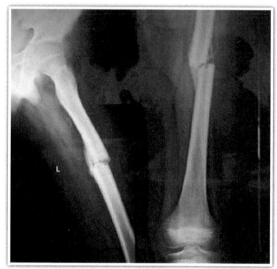

① Tamoxifen

② Bazedoxifene

③ Estrogen

④ Progesterone

⑤ Bisphosphonate

74

정답 ⑤

해설 Bisphosphonates
1. 뼈의 칼슘 친화력은 높이고 골흡수를 억제하는 작용
2. 파골세포(osteoclast)의 세포자멸사 증가
3. 종류 : Alendronate, Risedronate, Ibandronate, Zoledronate
4. 부작용 : 위장장애, 식도궤양, 턱뼈괴사, 비정형 대퇴골골절
   → 치아 임플란트 시 휴약 후 시행

참고 Final Check 부인과 448 page

75 혈전색전증의 과거력이 있는 69세 여자 환자의 검사 결과가 다음과 같다면 가장 적절한 치료 방법을 고르시오.

Region	Area(cm²)	BMC(g)	BMD(g/cm²)	T-score	PR(%)	Z-score	AM(%)
L1	12.97	10.55	0.841	−1.0	88	−0.9	89
L2	14.64	13.96	0.954	−0.7	93	−0.6	94
L3	16.00	16.92	1.058	−0.2	98	−0.2	98
L4	18.05	18.31	1.015	−0.9	91	−0.8	92
Total	61.65	59.74	0.969	−0.7	93	−0.6	93

① 경과관찰

② Estrogen

③ Bisphosphonate

④ Raloxifene

⑤ Bazedoxifene

75

정답 ③

해설 **Bisphosphonates**

1. 뼈의 칼슘 친화력은 높이고 골흡수를 억제하는 작용
2. 파골세포(osteoclast)의 세포자멸사 증가
3. 종류 : Alendronate, Risedronate, Ibandronate, Zoledronate
4. 부작용 : 위장장애, 식도궤양, 턱뼈괴사, 비정형 대퇴골골절
   → 치아 임플란트 시 휴약 후 시행

참고 *Final Check 부인과 448 page*

76 다음 검사의 이름을 쓰시오.

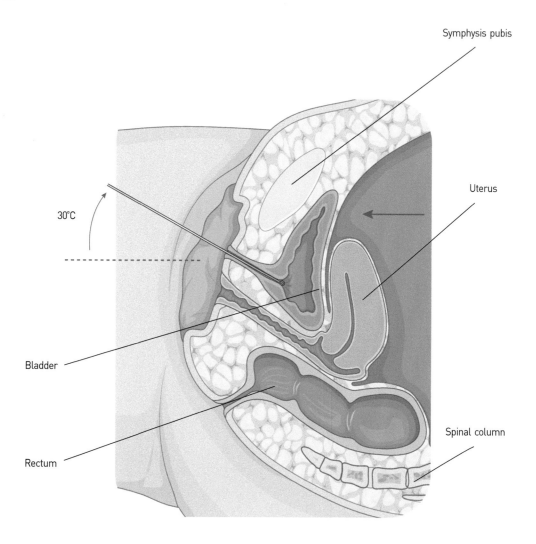

- Symphysis pubis
- 30°C
- Uterus
- Bladder
- Rectum
- Spinal column

76

정답 Q-tip test

해설 Q-tip test

1. 요도를 통해 방광 경부에 면봉을 밀어 넣은 다음, 아랫배에 힘을 주거나 기침을 시켜 면봉의 축이 변화하는 것을 측정함으로써 요도의 운동성 여부를 측정하는 방법
2. 면봉의 축이 이동하는 것을 수평과 이루는 각도가 30° 이상이 되면 요도의 과운동성으로 인정

참고 *Final Check 부인과 275 page*

77 다음은 47세 요실금 환자의 cystometrogram 사진이다. 이 환자의 진단명을 고르시오.

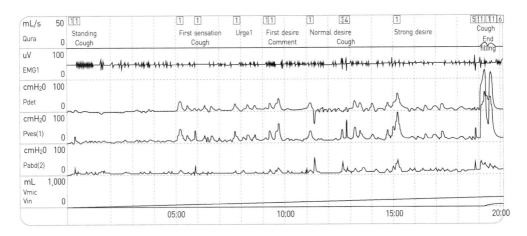

① Detrusor overactivity

② Genuine urinary incontinence

③ Overflow incontinence

④ Uninhibited urethral relaxation

⑤ Urethral obstruction

77

정답 ①

해설 배뇨근 과활동(detrusor overactivity)

1. 요역동학검사로 방광의 불수의적 수축이 객관적으로 확인된 경우

2. 분류

   a. 특발성 배뇨근 과활동(idiopathic detrusor overactivity)

   b. 신경인성 배뇨근 과활동(neurogenic detrusor overactivity)

참고 *Final Check 부인과 272 page*

78 45세 환자가 웃거나 재채기 시 소변이 샌다고 내원하였다. 검사 결과가 다음과 같을 때 이 여성에게 가장 적절한 처치를 고르시오.

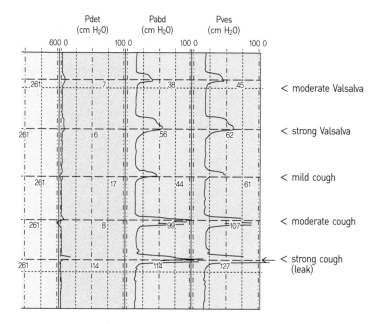

① 항콜린제

② 베타항진제

③ 알파차단제

④ 항생제

⑤ 중요도 걸이술

78

정답 ⑤

해설 긴장성 요실금(stress incontinence)의 수술적 치료

1. 복식 수술법
   a. 복식 Burch 수술법
   b. 복강경 Burch 수술법
2. 질식 수술법
   a. 전질벽 협축술(anterior vaginal repair or anterior colporrhaphy)
   b. 견인바늘걸기술(needle suspension procedures)
   c. 전통적 치골질걸이술(pubovaginal sling operation)
   d. 중요도 걸이술(mid-urethral slings)
   e. 충전제 주입술(bulking procedures)

참고 *Final Check 부인과 285 page*

79 다음은 어느 질환에 사용하는 수술 기구인지 고르시오.

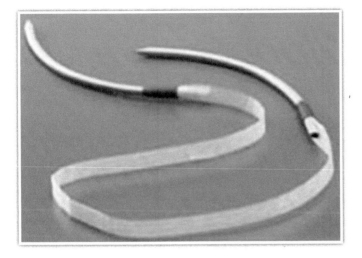

① Cystocele

② Uterine prolapse

③ Stress incontinence

④ Urge incontinence

⑤ Overactivity bladder

79

정답 ③

해설 긴장성 요실금의 미니슬링법(Mini-sling)
1. 질 내 절개를 통해 TVT나 TOT에 비하여 짧은 걸이를 이용하는 수술법
2. 양쪽의 치골 뒤 부위와 서혜부 근육을 찔러서 통과하지 않아 합병증이 감소
참고 *Final Check 부인과 285 page*

80 COPD, pulmonary HTN, CRF가 있는 83세 여성이 자궁질탈출증으로 진단받았다. 이 여성에게 가장 적절한 치료 방법을 고르시오.

① 케겔운동
② 페서리 삽입
③ 무긴장성 질테이프술
④ 천골질고정술
⑤ 질식 자궁절제술

80

정답 ②

해설 **페사리(pessary)의 적응증**
1. 수술을 원치 않는 환자
2. 다른 질환으로 수술을 할 수 없는 환자
3. 출산 후 발생한 탈출증의 일시적인 경감을 필요로 하는 환자
참고 *Final Check 부인과 297 page*

81 경구피임제로 위험성이 감소하는 암을 쓰시오.(2가지)

81

정답

1. 자궁내막암(endometrial carcinoma)

2. 난소암(ovarian carcinoma)

해설 **경구피임제의 피임 이외의 건강상 이점**

경구피임제의 효과	
– 골밀도 증가	– 양성 유방질환 예방
– 생리양 감소 및 빈혈 예방	– 다모증과 여드름 호전
– 자궁외임신 예방	– 난관염 예방
– 자궁내막증으로 인한 생리통 개선	– 죽상경화증 발생 예방
– 생리전증후군 예방	– 류마티스관절염 개선
– 자궁내막암과 난소암 예방	

참고 *Final Check 부인과 54 page*

82 27세 미혼 여성이 질 출혈을 주소로 내원하였다. 시행한 자궁내막조직검사의 결과가 아래와 같다면 이 환자에게 가장 적절한 치료를 고르시오.

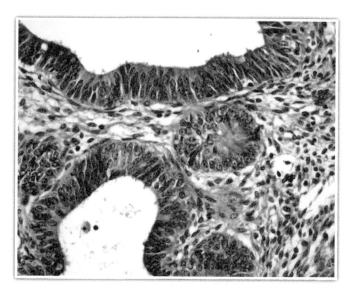

① Observation

② Progestin

③ Estrogen

④ Antibiotics

⑤ Methotrexate

82

정답 ②

해설 **단순 자궁내막증식증(Simple hyperplasia without atypia)**

1. 특징
   a. 자궁내막의 기질(stroma)과 선(gland)이 비정상적으로 증식하는 상태로 선이 확장되거나 낭종 형태로 관찰되며 모양이 불규칙함
   b. Glandular to stromal ratio 증가
   c. No cytologic atypia
2. Progestin therapy
   a. 경구 progesterone 제재 사용(약 3개월간 복용)
   b. Medroxyprogesterone acetate 10~20 mg/day for 14 days per month
   c. Continuous progestin therapy (e.g. megestrol acetate 20~160 mg/day)

참고 *Final Check 부인과 472 page*
Final Check 병리 41 page

83 산과력 0-0-0-0인 30세 미혼 여성이 질 출혈을 주소로 내원하였다. 시행한 자궁내막 생검에서 다음과 같은 소견을 보였다면, 이 환자에게 가장 적절한 치료를 고르시오.

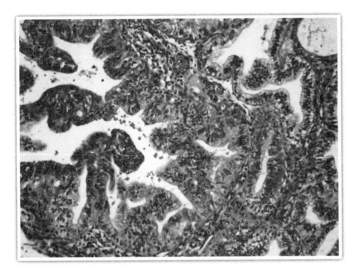

① Progestin therapy

② Estrogen + Progesterone combination therapy

③ Hysterectomy

④ Endometrial ablation

83

[정답] ①

[해설] 비정형 복합 자궁내막증식증(complex hyperplasia with atypia)의 치료

1. 임신력 보존 시
   a. Continuous progestin therapy
   b. Megestrol acetate 160~320 mg/day
2. 임신 원하지 않을 시 : Hysterectomy

[참고] *Final Check 부인과 472 page*
Final Check 병리 43 page

84 다음은 자궁내막암 환자의 초음파와 MRI 소견이다. 수술 후 조직 검사가 아래와 같다면 이 환자의 추가 치료로 적절한 것을 고르시오.

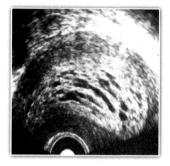
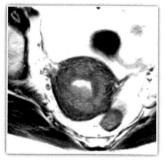
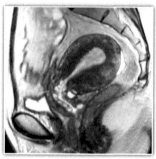
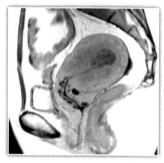

- Endomtriod carcinoma, grade 1
- Myometrial invasion <1/2
- Cervical invasion (–)
- Pelvic L/N (–), paraortic L/N (–)
- Peritoneal cytology (–)

① Observation

② Vaginal RT

③ Pelvic RT

④ Extended field RT

⑤ Chemotherapy

84

정답 ①

해설 수술 후 보조치료 필요 없이 경과관찰이 가능한 경우
1. Stage IA, grade 1, 2, 3
2. Stage IB, grade 1, 2
3. 1 or 2 + 림프–혈관공간 침윤(–)

참고 Final Check 부인과 483 page

85 40세 여자 환자가 자궁내막암으로 수술하였다. 자궁근층의 국소적 표층침윤이 있었고 림프절 전이는 없었다. 조직검사가 다음과 같고, grade I으로 확인되었다면 다음 처치로 가장 적절한 것은 무엇인가?

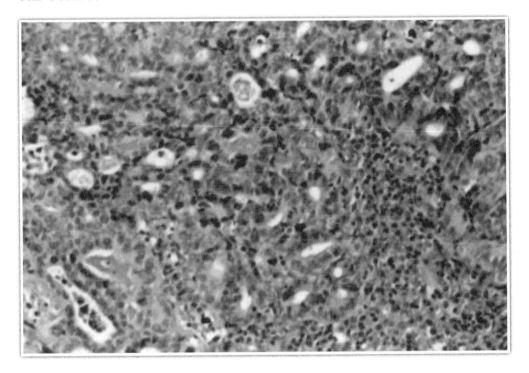

① Observation

② Vaginal radiation

③ Pelvic radiation and vaginal boost

④ Whole abdominal radiation

⑤ Chemotherapy

85

[정답] ①

[해설] 수술 후 보조치료 필요 없이 경과관찰이 가능한 경우

1. Stage IA, grade 1, 2, 3
2. Stage IB, grade 1, 2
3. 1 or 2 + 림프-혈관공간 침윤(−)

[참고] Final Check 부인과 483 page

86 55세 여성이 자궁내막조직소견과 대망의 조직 소견이 다음과 같을 때 다음 처치로 가장 적절한 것을 고르시오.

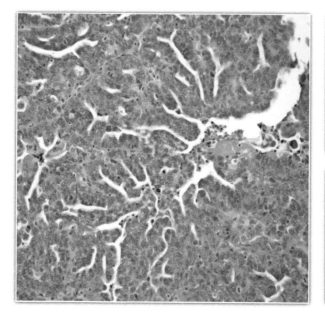
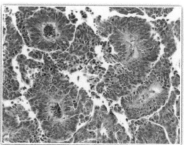
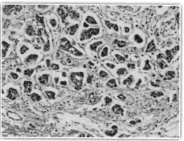

① 경과관찰
② 면역요법
③ 단일 항암화학요법
④ 복합 항암화학요법
⑤ 골반 방사선요법

86

정답 ④

해설 **자궁내막암 Stage IV의 치료**
1. 수술, 방사선치료, 호르몬치료, 항암화학치료 병행
2. 완화치료(palliative treatment)

참고 *Final Check 부인과 484 page*

87 임신력 0-0-1-0인 25세 여성이 자궁경부의 병변으로 인하여 conization을 시행하였다. 조직 검사 결과가 아래와 같았고, LVSI (−), section margin (−)로 확인되었다면 다음 처치로 가장 적절한 것을 고르시오.

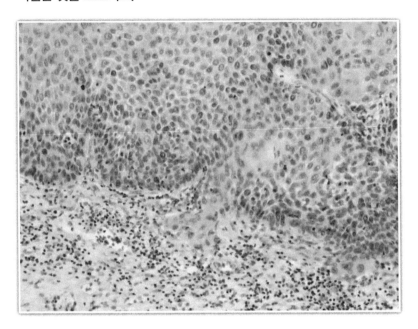

① Single chemotherapy

② Combined chemotherapy

③ Whole abdominal radiation therapy

④ Hormone therapy

⑤ Observation

87

정답 ⑤

해설 자궁경부암 Stage IA1의 치료
1. <3 mm, LVSI (−) : Conization or Extrafascial Hyst
2. <3 mm, LVSI (+) : Modified Rad Trachel or Modified Rad Hyst + pelvic lymph or SLN

참고 *Final Check 부인과 505 page*
Final Check 병리 14 page

88 자궁평활근육종(leiomyosarcoma)의 예후를 결정하는 가장 중요한 병리학적 소견을 쓰시오.

88

정답

1. 핵분열상(mitotic figure) >10 MF/10HPF
2. 심한 세포 비정형성(severe cytologic atypia)
3. 응고성 종양 괴사(coagulative tumor necrosis)

해설 **자궁평활근육종(leiomyosarcoma)의 불량한 예후 예측인자**

1. 핵분열상(mitotic figure) 〉10 MF/10HPF
2. 심한 세포 비정형성(severe cytologic atypia)
3. 응고성 종양 괴사(coagulative tumor necrosis)

참고 *Final Check 부인과 491 page*

89 25세 미혼 여성이 좌측 난소의 5 cm 크기의 혹으로 복강경하 좌측 난소난관절제술 시행 후 동결절편 검사 상 다음과 같은 병리소견이 확인되었다. 복강 내 전이소견은 보이지 않았고, peritoneal washing cytology negative, pelvic lymph node negative로 확인되었다. 이 환자의 향후 처치로 가장 적절한 것을 고르시오.

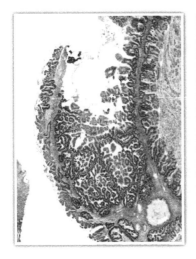 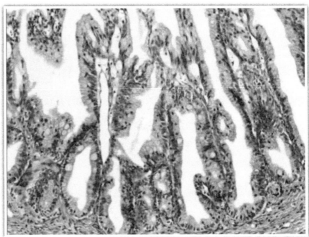

① 경과관찰
② 항결핵제
③ 호르몬치료
④ 방사선치료
⑤ 항암화학치료

89

정답 ①

해설 경계성 난소암 Stage I의 치료

1. 조직소견 : Mucinous borderline tumors, intestinal type
2. 출산을 원치 않는 여성 : 자궁절제술과 양측 난소난관절제술을 포함한 병기 결정 수술
3. 출산을 원하는 여성 : 난소낭종절제술 혹은 난소난관절제술을 시행

참고 *Final Check* 부인과 543 page
Final Check 병리 66 page

90 25세 미혼 여성이 건강검진에서 자궁경부의 병변이 확인되어 시행한 자궁경부 원추절제술에서 adenocarcinoma, depth of invasion = 4 mm, width = 8 mm, LVSI (+)로 나와 내원하였다. MRI 소견이 다음과 같다면 이 환자에게 가장 올바른 치료법을 고르시오.

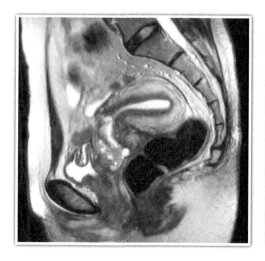
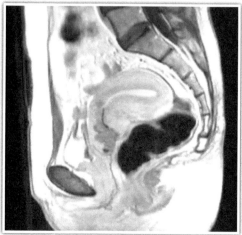

① 6개월 뒤 추적관찰

② Transabdominal hysterectomy

③ Radical trachelectomy + Pelvic lymphadenectomy

④ Radical hysterectomy + Pelvic lymphadenectomy

⑤ Radiation therapy

90

정답 ③

해설 자궁경부암 Stage IB1의 치료

1. Mod Rad/Rad Trachel or Mod Rad/Rad Hyst

2. Pelvic lymph or sentinel lymph node biopsy

참고 *Final Check 부인과 505 page*

91 65세 여성 환자가 질 출혈을 주소로 내원하였다. 시행한 검사상 자궁경부에 종양이 있었고, 생검상 침윤성 자궁경부암으로 진단되었다. MRI가 아래와 같았다면 이 환자에게 가장 적절한 치료 방법을 고르시오.

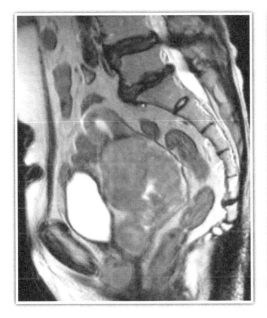 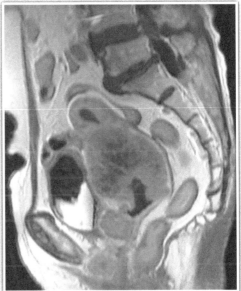

① Pelvic exenteration

② Radiation therapy

③ Chemoradiation

④ Radiation therapy 후 extrafascial hysterectomy

⑤ Chemotherapy

91

정답 ③

해설 자궁경부암 Stage IIIA

1. 병변
   a. Lower 1/3 vagina invasion
   b. No extension to the pelvic wall
2. Stage IIIA의 치료 : Chemoradiation, pelvic field

참고 *Final Check 부인과 505 page*

92 질 출혈을 주소로 내원한 55세 여성이 시행한 자궁경부 조직검사상 invasive SCC로 확인되었다. 시행한 MRI와 IVP 소견이 아래와 같다면 이 환자의 향후 치료로 적절한 것을 고르시오.

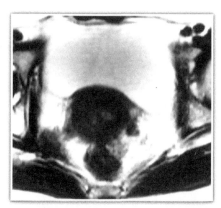
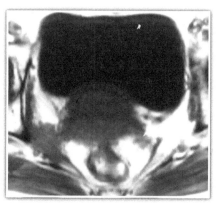
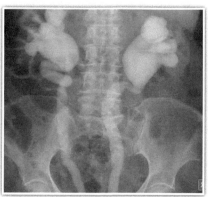
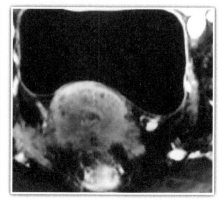

① Radical hysterectomy

② Radical hysterectomy with PLND

③ Chemotherapy

④ Concurrent chemoradiation therapy

⑤ Chemotherapy

92

정답 ④

해설 **자궁경부암 Stage IIIB**

1. 소견
   a. MRI : Pelvic wall invasion
   b. IVP : Hydronephrosis
2. Stage IIIB의 치료 : Chemoradiation, pelvic field

참고 *Final Check 부인과 505 page*

93 자궁경부암으로 진단받은 50세 여성의 MRI, IVP, 조직병리 사진이 아래와 같다면 가장 적절한 치료를 고르시오.

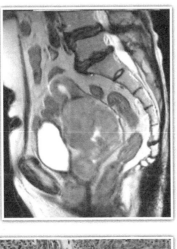
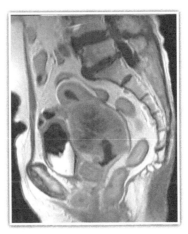
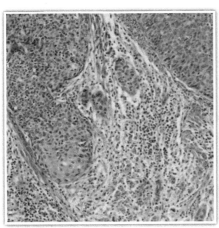
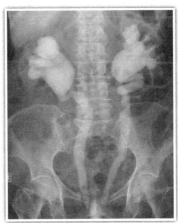

① Observation

② Pelvic exenteration

③ Radiation therapy

④ Radiation therapy 후 extrafascial hysterectomy

⑤ Concurrent chemoradiation

93

정답 ⑤

해설 **자궁경부암 Stage IIIB**

1. 소견
   a. MRI : Pelvic wall invasion
   b. IVP : Hydronephrosis
2. Stage IIIB의 치료 : Chemoradiation, pelvic field

참고 *Final Check 부인과 505 page*

94 장기간의 외음부 소양증을 호소하던 60세 여자 환자가 외음부에 4 x 3 cm의 붉은 병변이 있어 조직 검사를 시행하였다. 조직병리 소견은 아래와 같았고, inguinal lymphadenopathy 소견도 보이지 않았다면 다음 처치로 가장 적절한 것을 고르시오.

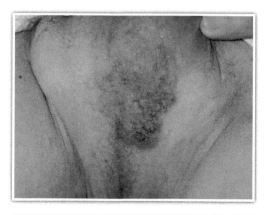

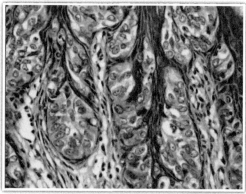

① Wide local excision   ② Superficial vulvectomy   ③ Skinning vulvectomy

④ Modified radical vulvectomy   ⑤ Radical vulvectomy

94

[정답] ①

[해설] **외음부 파제트병(Paget disease)의 치료**

1. 광범위 국소절제술(wide local excision)
   a. 수술 중 여러 번의 동결절편으로 병변의 완전 절제가 중요
   b. 선암종이 동반된 경우 : 동측의 서혜부 림프절절제술도 같이 시행
2. 예후 : 림프절 전이가 없으면 양호
3. 재발 시 치료 : 반복적인 수술, 국소적 bleomycin, 국소적 5-FU, CO_2 레이저 등

[참고] *#Final Check 부인과 579 page*
Final Check 병리 116 page

95 유방암으로 항암화학요법 예정 중인 35세 미혼 여성이 가임력 보존을 위해 내원하였다. 가임력 보존을 위하여 다음과 같은 시술 시 (A)에 들어갈 약물을 고르시오.

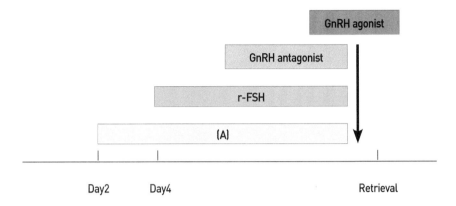

Time of menstrual cycles (days)

① Bazedoxifene

② Tamoxifen

③ Raloxifene

④ Clomiphene citrate

⑤ Letrozole

95

정답 ⑤

해설 방향효소 억제제(Aromatase inhibitor)

1. 작용
   a. Aromatase에 의해 androgen에서 estrogen으로 전환되는 것을 억제하여 혈중 estrogen 수치가 감소
   b. 시상하부나 뇌하수체에서의 GnRH와 FSH 조절이 estrogen에 의한 negative feedback에서 벗어나게 함으로써 FSH의 생성, 분비를 촉진시키고, 따라서 난포 발달을 자극
2. 작용기전에 따른 분류
   a. 방향효소 억제제와 영구 결합 : Exemestane (Aromasin®)
   b. 방향효소 억제제와 경쟁적으로 결합 : Anastrozole (Arimidex®), Letrozole (Femara®)

참고 *Final Check 부인과 614 page*

96 다음은 25세 여성의 가계도가 다음과 같다. 가족 및 친지들은 breast cancer, colon cancer, ovarian cancer 등으로 사망하였다고 한다. 이 여성에게 시행할 검사로 올바른 것을 고르시오.

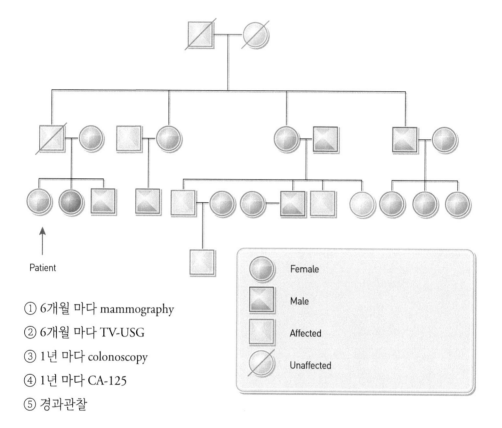

Patient

① 6개월 마다 mammography
② 6개월 마다 TV-USG
③ 1년 마다 colonoscopy
④ 1년 마다 CA-125
⑤ 경과관찰

96

정답 ②

해설 유전성 난소암 고위험군의 관리
1. 예방적 난관난소절제술 시행 전까지 30∼35세부터 6개월마다 질 초음파, CA-125 시행
2. 가임력 유지를 원하지 않는 경우 35세 이후에 예방적 난관난소절제술 시행
  a. BRCA1 carriers : 35∼40세에 시행 권장
  b. BRCA2 carriers : 40∼45세에 시행 권장
3. BRCA mutation이 있으면 예방적 유방절제술(risk reducing bilateral mastectomy) 시행
4. BRCA mutation이 있는 여성의 유방암 검진
  a. 25∼29세 : 6∼12개월마다 유방검진, MRI
  b. 30세 이상 : 매년 mammography, MRI (보통 6개월마다 교차로 시행)
5. Lynch syndrome (HNPCC) 여성
  a. 20∼25세 또는 가족의 대장암 진단 2∼5년 전부터 1∼2년마다 대장내시경
  b. 30∼35세부터 1∼2년마다 자궁내막조직검사
  c. 더 이상 분만 계획이 없다면 40대부터 예방적 자궁절제술, 난관난소절제술 권장

참고 *Final Check 부인과 530 page*

97 62세 여성이 상피성 난소암으로 1차 치료 후 완전 관해 되었다. 추적관찰 12개월에 찍은 PET-CT가 아래와 같고, CA-125 193 U/mL로 확인되었다. 이 환자에게 가장 알맞은 처치를 고르시오.

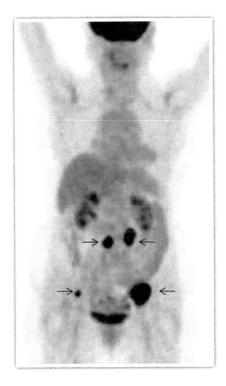

① 경과관찰
② 면역요법
③ 호르몬치료
④ 항암화학치료
⑤ 골반 방사선치료

97

정답 ④

해설 **이차 항암화학요법(Secondary chemotherapy)**
1. 증상의 완화, 삶의 질 개선, 암 진행의 지연, 생존기간 연장 등을 위한 요법
2. Platinum 민감성 재발(platinum sensitive recurrence)
   a. 일차 항암화학요법 6개월 이후에 재발한 경우(platinum based chemotherapy에 반응)
   b. 추천 항암제 : paclitaxel/carboplatin, docetaxel/carboplatin, gemcitabine/carboplatin, liposomal doxorubicin/carboplatin, gemcitabine/cisplatin
3. Platinum 저항성 재발(platinum resistant recurrence)
   a. 일차 항암화학요법 6개월 이내에 재발한 경우(platinum based chemotherapy에 저항)
   b. 추천 항암제 : Taxane (paclitaxel), Topotecan, Liposomal doxorubicin, Gemcitabine, Etoposide

참고 *Final Check 부인과 361 page*

98 30세 미혼 여성이 검진상 발견된 난소의 종괴를 주소로 개복술을 시행하였다. 우측 부속기절 제술을 시행하였고, 다른 부위의 전이소견이나 림프절 종대소견은 없었다. 종괴의 육안적 소견과 병리조직 소견이 아래와 같다면 향후 처치로 적절한 것을 고르시오.

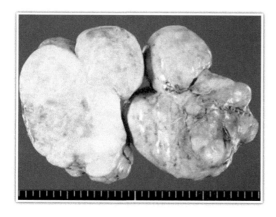

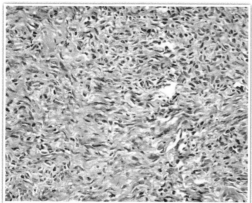

① Observation

② Hysterectomy with LSO

③ Radical hysterectomy with PLND

④ Chemotherapy

98

정답 ①

해설 Fibroma의 치료

1. 대부분의 경우 수술 자체만으로 충분한 일차적 치료 가능
2. 기본 원칙은 상피성 난소암의 수술적 원칙과 동일

참고 *Final Check 부인과 562 page*
Final Check 병리 79 page

99 난소 종양으로 수술받은 50세 여성의 종양 모양과 병리 소견이 아래와 같다면 이 여성에게 시
행할 검사를 고르시오.

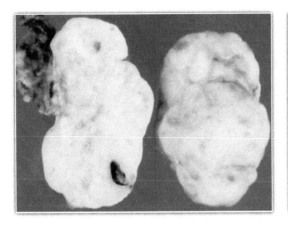 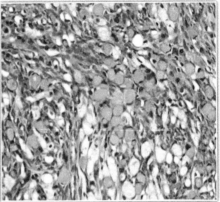

(가) Abd-pelvic CT
(나) Chest CT
(다) Upper and lower GI endoscopy
(라) IVP

① 가, 나, 다
② 가, 다
③ 나, 라
④ 라
⑤ 가, 나, 다, 라

99

정답 ②

해설 Krukenberg 종양(Krukenberg tumor)

1. 특성
   a. 특징적 소견 : 점액(mucin)으로 채워져 있는 signet ring cells
   b. 난소 전이암의 30~40% 차지
   c. 흔히 양측성(bilateral)으로 존재
2. 원발성 종양의 위치
   a. 위(stomach) : 가장 흔한 위치
   b. 대장(colon), 충수(appendix), 유방(breast), 담관(biliary tract) 등
   → Abd-pelvic CT, upper & lower GI endoscopy 등으로 병변을 확인

참고 *Final Check 부인과 564 page*
Final Check 병리 93 page

100

20세 여성이 좌측 난소 종양으로 수술하였다. 조직검사가 아래와 같다면 이 종양과 관련된 종양 표지자를 쓰시오.(한가지)

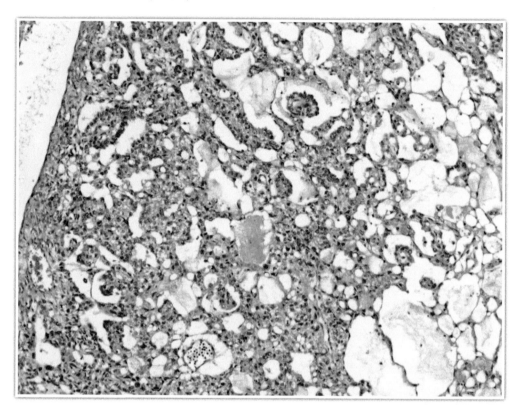

100

정답 AFP

해설 **내배엽동종양(Endodermal sinus tumor)**

1. 세번째로 흔한 악성 생식세포종양(malignant germ cell tumor)
    a. 생식세포 기원 난소암의 약 20% 차지
    b. 발생 연령 : 16~18세(40세 이후는 드묾), 1/3이 초경 전
2. 100% 일측성(unilateral) → 반대쪽 난소 조직검사는 금기
3. 초경 전 환자에서 수술 전 염색체 분석(chromosomal analysis) 시행
4. AFP (α-fetoprotein) : 대부분의 EST에서 분비
5. AAT (α-1 antitrypsin) : 드물게 분비

참고 *Final Check 부인과 557 page*
Final Check 병리 90 page

101

젊은 여성의 좌측 난소 절제술 후 조직검사 소견이 다음과 같다면 가장 적절한 처치를 고르시오.

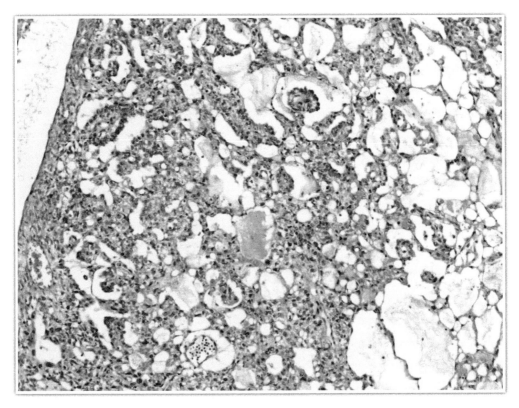

① 개복하 자궁절제술 　② 주기적 골반 관찰, AFP 측정 　③ 항암화학치료
④ 방사선치료 　② 경과관찰

101

[정답] ③

[해설] **내배엽동종양(Endodermal sinus tumor)의 치료**

1. 수술(surgery)
   a. Surgical exploration + Unilateral salpingo—oophorectomy + Frozen section
   b. hysterectomy + contralateral salpingo—oophorectomy : 치료결과에 영향이 없음
   c. 수술적 병기설정 : 모든 환자가 항암화학요법을 시행하므로 의미 없음
2. 항암화학요법(chemotherapy)
   a. 모든 환자에서 보조적 혹은 치료적 항암화학요법 시행
   b. 보존적 수술치료와 항암화학요법을 통해 가임력 유지 가능
   c. 일차 치료법 : Cisplatin을 포함하는 복합 항암화학치료(BEP 3~4주기)

[참고] *Final Check 부인과 557 page*
　　　 Final Check 병리 90 page

102 16세 여아가 좌측 난소의 종괴를 주소로 시행한 salpingo-oophorectomy의 병리소견이 아래와 같았다면 이 환자에게 시행할 항암화학요법으로 적절한 것을 고르시오.

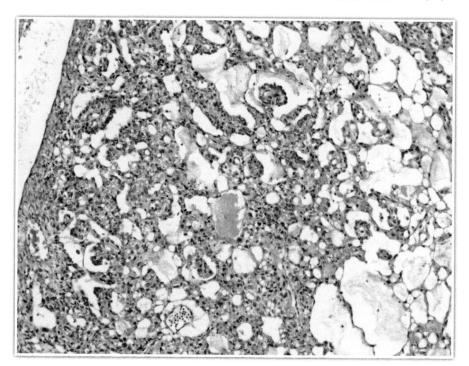

① Bleomycin + Etoposide + Cisplatin

② Docetaxel + Carboplatin

③ Carboplatin + Paclitaxel

④ Cisplatin + Topotecan

⑤ Cisplatin + Paclitaxel + Bevacizumab

102

정답 ①

해설 내배엽동종양(Endodermal sinus tumor)의 치료

1. 수술(surgery)
   a. Surgical exploration + Unilateral salpingo-oophorectomy + Frozen section
   b. hysterectomy + contralateral salpingo-oophorectomy : 치료결과에 영향이 없음
   c. 수술적 병기설정 : 모든 환자가 항암화학요법을 시행하므로 의미 없음
2. 항암화학요법(chemotherapy)
   a. 모든 환자에서 보조적 혹은 치료적 항암화학요법 시행
   b. 보존적 수술치료와 항암화학요법을 통해 가임력 유지 가능
   c. 일차 치료법 : Cisplatin을 포함하는 복합 항암화학치료(BEP 3~4주기)

참고 *Final Check 부인과 557 page*
Final Check 병리 90 page

103 45세 여성이 하복부 통증과 복부 팽만을 주소로 내원하여 시험적 개복술을 시행하였다. Frozen biopsy에서 mucinous cystadenoma borderline malignancy로 확인되었고, 아래와 같은 조직 소견이 관찰되었다. 이 환자에 대한 적절한 수술 방법을 고르시오.

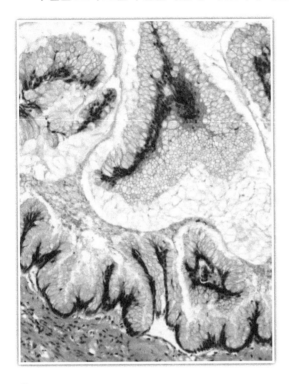

① Both adnexectomy

② Hysterectomy

③ TAH with BSO

④ TAH with BSO + omentectomy

⑤ TAH with BSO + omentectomy + appendectomy

103

정답 ⑤

해설 **Pseudomyxoma peritonei**

1. 골반과 복강 내에 많은 점액질 들이 섬유조직에 둘러싸여 산재해 있는 경우
2. 복강 내 비난소성 점액성 종양으로부터 발생
   a. 원발성 저등급 점액성 충수돌기암(appendiceal carcinoma) : 가장 흔한 원인
   b. 점액성 난소암(ovarian mucinous carcinoma)
   c. 위장관, 자궁경부, 방광, 간담도의 암 전이
3. 수술 시 충수돌기의 절제 및 조직검사를 통한 진단이 중요

참고 *Final Check 부인과 536 page*
Final Check 병리 70 page

104 임신력 3-0-1-3인 30세 여성이 좌측 난소에 12 cm 크기의 종양이 있어 내원하였다. 수술 전 MRI와 LSO 시행 후 동결절편 검사는 아래와 같았다. 종양은 좌측 난소에 국한되어 있었으나 골반 림프절 전이가 확인되었다면 이 환자에게 가장 적절한 치료를 고르시오.

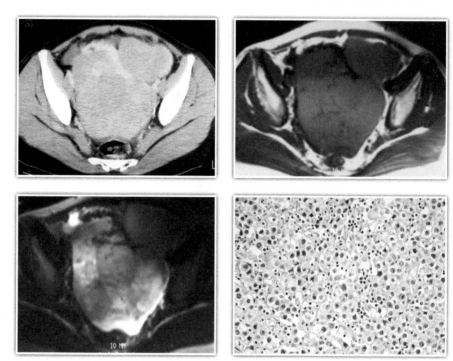

① Observation

② Rt. salpingo-oophorectomy

③ Hysterectomy

④ Hysterectomy with L/N dissection

⑤ Hysterectomy with BSO + Chemotherapy

104

정답 ⑤

해설 미분화세포종(dysgerminoma)의 치료

1. 수술
   a. 임신력 보존 (+) : unilateral oophorectomy
   b. 임신력 보존 (−) : hysterectomy + bilateral salpingo−oophorectomy
2. Dysgerminoma, Stage I : 수술만으로 충분, 보조 항암화학요법 필요 없음
3. 피막 파막 또는 진행된 병기 : 보조 항암화학요법(adjuvant chemotherapy) 시행

참고 *Final Check 부인과 553 page*
Final Check 병리 89 page

105 다음은 질 출혈을 주소로 내원한 25세 미혼 여성의 초음파와 endometrial curettage 후 조직병리 소견이다. 이 환자의 다음 처치로 올바른 것을 고르시오.

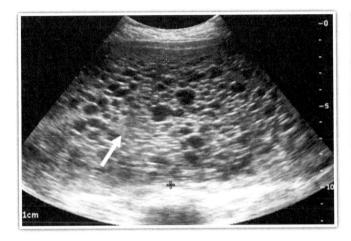 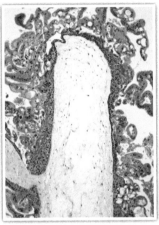

① β-hCG 추적관찰

② Hysterectomy

③ Radical hysterectomy

④ Chemotherapy

⑤ Radiation therapy

105

정답 ①

해설 완전 포상기태(complete hydatidiform mole)의 hCG 추적검사

1. 포상기태 제거 후 영양막의 존재 여부를 가장 잘 반영
2. hCG를 연속적으로 측정하여야 하며 이 동안은 피임 시행
   a. 임신하지 않은 정상인의 경우 혈청 β-hCG는 측정되지 않음
   b. 포상기태 제거 후 혈청 β-hCG가 정상치에 도달하는 기간 : 평균 9주(8~12주)

참고 *Final Check 부인과 591 page*
Final Check 병리 129 page

106 25세 미혼 여성이 하복부 통증과 질 출혈을 주소로 내원하였다. 시행한 초음파와 MRI 상 아래와 같은 소견이 보인다면 이 환자의 치료로 가장 적절한 것을 고르시오.

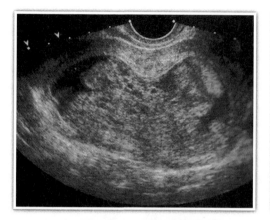
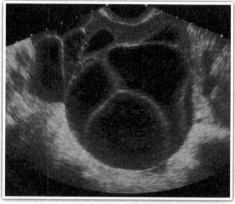
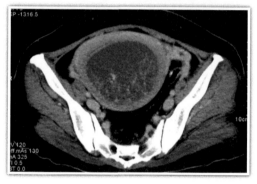
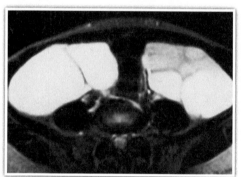

① Chemotherapy

② Suction and curettage

③ TAH

④ TAH with BSO

106

정답 ②

해설 포상기태(Hydatidiform Mole)의 치료

1. 흡입 소파술(Suction curettage)
2. 자궁절제술(Hysterectomy)
3. 자궁절개술(Hysterotomy), 약물적 배출
4. 예방적 항암화학치료(Prophylactic chemotherapy)

참고 *Final Check 부인과 590 page*

107

33세 여성이 질 출혈을 주소로 내원하였다. 환자는 8주간 생리를 하지 않았다고 하였다. 시행한 혈액 검사 상 β–hCG 350,000 mIU/mL였다. 초음파 및 X–ray 소견은 다음과 같았고, curettage 후 조직 소견이 다음과 같았다. 이 환자에게 가장 적절한 치료를 고르시오.

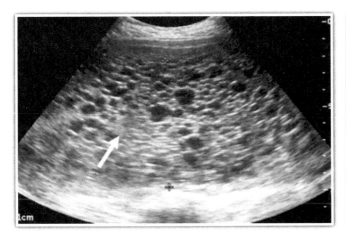
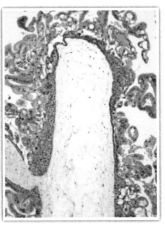

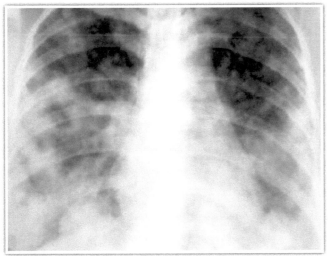

① β–hCG 추적관찰
② 방사선치료
③ 항생제치료
④ 항암화학요법
⑤ 폐 절제술

107

정답 ④

해설 임신성 융모종양, Stage III, High risk의 치료

1. Initial : Combination chemotherapy
2. Resistant : Second line combination chemotherapy

참고 *Final Check 부인과 595 page*
Final Check 병리 129 page

108

산과력 3-0-0-3인 40세 여성이 질 출혈을 주소로 내원하였다. 내원 후 시행한 hCG 150,000 mIU/mL로 확인되었고, 자궁내막 생검과 흉부 방사선 검사는 다음과 같았다. 이 환자에게 가장 적절한 치료를 고르시오.

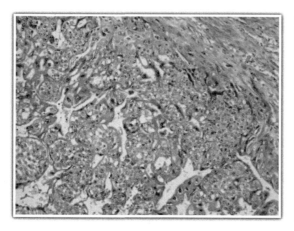 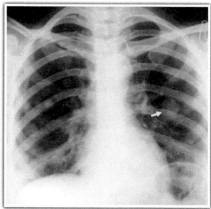

① TAH with BSO

② Radical hysterectomy with BSO, PLND

③ Combination chemotherapy

④ Whole heart irradiation

⑤ Palliative therapy

108

정답 ③

해설 임신성 융모종양, Stage III, High risk의 치료
1. Initial : Combination chemotherapy
2. Resistant : Second line combination chemotherapy

참고 *Final Check 부인과 595 page*
Final Check 병리 133 page

109 3년 전부터 여성 호르몬 치료를 받고 있는 53세 여성의 mammography 소견이 다음과 같다면 이 환자에게 필요한 처치를 고르시오.

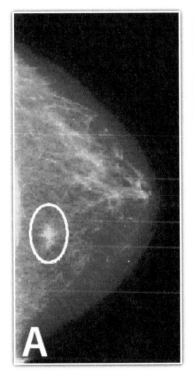
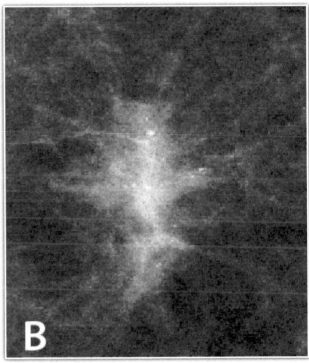

① 정기검진
② 유방확대 촬영술
③ 유방 초음파
④ 유방 MRI
⑤ 조직검사

109

정답 ⑤

해설 BI-RADS Category 4

1. 악성 의심병소(suspicious abnormality)
2. 조직검사 시행

참고 *Final Check 부인과 607 page*

110 53세 여성이 발한, 안면홍조 등의 증상으로 내원하였다. 시행한 부인과 초음파상 특이소견은 없었고, mammography는 아래와 같았다. 이 환자에게 가장 적절한 처치를 고르시오.

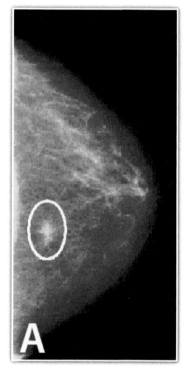

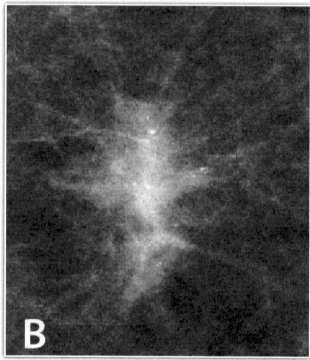

① 타목시펜

② 티볼론

③ 랄록시펜

④ 유방 자기공명영상

⑤ 세침흡인생검

110

정답 ⑤

해설 BI-RADS Category 4

1. 악성 의심병소(suspicious abnormality)

2. 조직검사 시행

참고 *Final Check 부인과 607 page*

111 53세 여성이 심한 안면홍조, 발한을 주소로 내원하였다. 환자는 현재 estrogen therapy 중이고 정기검진으로 시행한 유방 촬영은 다음과 같았다. 환자는 3년 전 자궁절제술을 시행받았다고 하였다면 다음 처치로 가장 적절한 것을 고르시오.

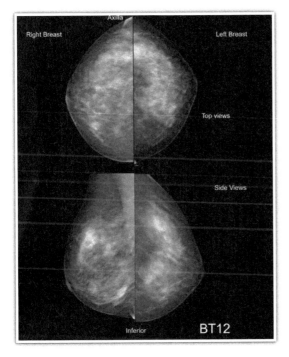

① 기존 호르몬치료 유지

② 호르몬치료 중단

③ Progestin 추가

④ Raloxifene으로 교체

⑤ Tamoxifen 추가

111

정답 ①

해설 **혈관운동증상의 Estrogen 치료**

1. 가장 효과적인 치료법
2. Progestin 병합 : 자궁이 있다면 저용량 estrogen을 사용하더라도 progestin 병합이 필요
3. 표준용량 : Conjugated estrogens 0.625 mg + Medroxyprogesterone acetate 2.5 mg
4. 약물 중단 시 수개월에 걸쳐 천천히 감량(갑자기 끊을 경우 증상 재발 가능성 증가)

참고 *Final Check 부인과 445 page*

112

Preimplantation genetic diagnosis를 위한 아래 사진과 같은 검사를 시행하기 위해 필요한 시술을 고르시오.

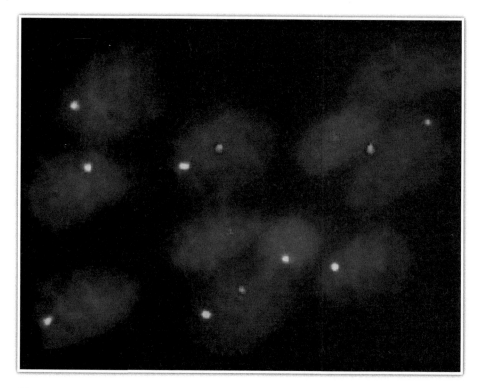

① Polar body biopsy

② ICSI

③ Blastomere biopsy

④ Assisted hatching

⑤ Karyotyping

112

정답 ③

해설 형광직접보합법(Fluorescent in situ hybridization, FISH)
1. 염색체 검사 방법
2. 염색체의 수적 또는 구조적 이상을 확인
참고 Final Check 부인과 434 page